bibli

Odyssée

Homère

Notes, résumés, questionnaires et Dossier Bibliocollège
par Monique **EMOND-BONETTO,**
certifiée de Lettres modernes,
Marie-Laure BOUCHAND,
agrégée de Lettres classiques,
professeurs en collège

Traduction de Marie-Rose ROUGIER

Sommaire

Introduction 3

ODYSSÉE
Textes et questionnaires

Chant I 6	Chant XIII 88
Chant II 12	Chant XIV 93
Chant III 18	Chant XV 95
Chant IV 24	Chant XVI 97
Chant V 30	Chant XVII 100
Chant VI 42	Chant XVIII 107
Chant VII 47	Chant XIX 108
Chant VIII 48	Chant XX 111
Chant IX 54	Chant XXI 112
Chant X 67	Chant XXII 120
Chant XI 75	Chant XXIII 126
Chant XII 81	Chant XXIV 130

DOSSIER BIBLIOCOLLÈGE

Schéma narratif 136
Il était une fois Homère 137
Homère et son temps 140
Le temps de l'*Odyssée* 142
L'*Odyssée*, une épopée 146
Groupement de textes : « La figure du héros » 148
Glossaire des noms propres 156
Bibliographie et filmographie 160

Conception graphique : Couverture : *Laurent Carré*. Intérieur : *ELSE*
Mise en page : *Médiamax*
Illustration des questionnaires : *Harvey Stevenson*

ISBN : 978-2-01-167828-7

Introduction

Lire l'*Odyssée* aujourd'hui ? Quelle drôle d'idée ! Un texte grec, vieux de près de trois mille ans ! Quel intérêt ? pourrait-on dire.

Pourtant, ce n'est sans doute pas pour rien que le texte de l'*Odyssée* fut, pendant des siècles, base de l'éducation, appris par cœur dans les écoles, récité lors des grandes fêtes, en particulier à Athènes. Ce n'est sans doute pas pour rien qu'aujourd'hui encore, il est, avec la Bible, le texte le plus lu dans le monde. C'est qu'il parle à tous, depuis toujours, tant il est riche et divers.

C'est un récit d'aventures. Après la guerre de Troie, Ulysse, roi d'Ithaque, veut revenir dans son île pour retrouver la femme qu'il aime, Pénélope. Mais il a crevé l'œil du Cyclope, le fils de Poséidon, dieu de la mer. Et ce dernier déchaîne contre lui des tempêtes terribles. Ulysse lutte courageusement : il est comme ces marins d'aujourd'hui, il a soif du grand large, il veut tout connaître, il fonce au milieu des tempêtes. Un vrai aventurier ! Et ses aventures durent dix ans !

L'*Odyssée* est aussi un conte de fées. Ulysse rencontre d'horribles monstres, des ogres, des géants. Certains harponnent les marins comme des poissons et les dévorent, d'autres leur donnent à manger des fleurs qui font tout oublier. On y rencontre des vents que l'on enferme dans des sacs, des bateaux qui vont aussi vite que la pensée, de très jolies nymphes, des sortes de fées, et même Circé, la magicienne qui transforme tous les compagnons d'Ulysse en cochons, avec une potion et une baguette magiques. Mais l'*Odyssée*, c'est beaucoup plus qu'un conte... Les compagnons d'Ulysse transformés en cochons, c'est un peu comme le jeu du « portrait chinois », où l'on compare les personnes à des animaux, des objets, des fleurs. La baguette magique de Circé ne fait que révéler un peu ce que les gens sont. Ou encore Scylla, ce monstre marin pourvu de six gueules munies de trois rangées de dents qui dévore tous les hommes passant à sa portée. Elle peut aussi représenter un passage très dangereux où d'énormes vagues arrachent les marins au pont de leur bateau.

L'*Odyssée* peut se lire encore comme un documentaire. Elle nous apprend comment vivaient les Grecs, comment et pourquoi ils voyageaient. Nous découvrons les pays qu'ils connaissaient, comment ils se représentaient le monde, il y a près de trois mille ans, comme un disque plat entouré et soutenu par un fleuve, le fleuve Océan.

Enfin, c'est un récit mythologique. Ce monde d'Ulysse est plein de dieux, des dieux qui ressemblent aux hommes, qui en prennent parfois l'apparence. Mais des hommes aux pouvoirs extraordinaires. Ils sont immortels, ils se déplacent à toute allure. Visibles ou invisibles, ils sont partout : une vague, un oiseau, un éclair, un parfum, un souffle, un rien, tout peut être signe de la présence d'un dieu. Et cela fait du monde d'Ulysse un monde magique, un monde où un dieu peut toujours contrarier ou faciliter les actions des hommes, un monde merveilleux.

Ainsi, chacun peut découvrir les épisodes de l'*Odyssée* à sa façon.

LES PRINCIPAUX PERSONNAGES
DE L'*ODYSSÉE*

ANTINOOS : chef des prétendants
(jeunes nobles désirant épouser Pénélope).

EUMÉE : porcher d'Ulysse, resté fidèle à son maître.

EURYCLÉE : nourrice d'Ulysse et intendante.

EURYMAQUE : prétendant fort riche, qui comble
Pénélope de cadeaux.

MÉLANTHIOS : chevrier d'Ulysse, favorable
aux prétendants.

PÉNÉLOPE : fidèle épouse d'Ulysse.
Elle vit dans le palais royal d'Ithaque.

PHILÉTIOS : bouvier d'Ulysse, resté fidèle
à son maître.

TÉLÉMAQUE : fils unique d'Ulysse et de Pénélope.

ULYSSE : roi d'Ithaque. Il a combattu dix ans à Troie
et a mis dix autres années à regagner sa patrie.

LAËRTE : père d'Ulysse. Il vit retiré aux champs.

*Vous trouverez en page 156 un **glossaire des noms propres** des autres
personnages et des divinités cités dans l'Odyssée.*

• Le découpage du texte à l'intérieur des chants, les titres
présentés en caractères gras entre crochets ont été imaginés par les
auteurs de cette édition pour faciliter la lecture.
• Le texte des résumés est également présenté entre crochets et
dans des caractères différents, afin d'éviter toute confusion avec
le texte de Homère.

Chant[1] I

[Jour 1 : invocation[2] à la muse] Muse, raconte-moi l'homme à-l'esprit-inventif, qui si long-temps erra après avoir détruit la citadelle de Troie, et connut tant de cités, tant de peuples.
5   En son cœur, il endura mille maux[3], luttant sur mer pour sa propre vie et le retour de ses compagnons. Hélas ! mal-gré tout son désir, il n'en sauva aucun. Ils périrent vic-times de leur impiété[4], ces fous qui mangèrent les vaches du Soleil. Celui-ci leur refusa le jour du retour. Ô déesse,
10   fille de Zeus, dis-nous quelques-unes de ces aventures !

---

notes

1. chant : chapitre du poème de l'*Odyssée* qui était destiné à être chanté. Cette division n'a pas été faite par Homère.

2. invocation : prière faite à une divinité pour demander son aide.

3. maux : souffrances.

4. impiété : paroles ou actions contraires à la religion.

[L'assemblée des dieux]

Tous ceux qui avaient échappé aux mortels dangers de la guerre et de la mer étaient rentrés dans leur demeure. Seul Ulysse restait loin de son pays et de sa femme.

15 Une noble déesse, la nymphe[1] Calypso, le retenait dans ses grottes profondes, le désirant pour mari. Et, quand, enfin, les dieux eurent décidé son retour à Ithaque, il allait encore devoir subir de nouvelles épreuves, même parmi les siens. Tous les dieux le prenaient en pitié, tous excepté Poséidon

20 qui le poursuivit de sa haine jusqu'à son retour dans son pays.

Or Poséidon était parti au bout du monde, chez les Éthiopiens, recevoir une hécatombe[2] de taureaux et d'agneaux. Tandis qu'il festoyait[3], les autres dieux étaient réunis dans le

25 palais de Zeus Olympien. [...]

Athéna, la déesse au-clair-regard, prit la parole :

« *Ô maître souverain, notre père, fils de Cronos, mon cœur est déchiré au souvenir du sage Ulysse. L'infortuné ! depuis longtemps, il souffre loin des siens, retenu dans une île qui forme le nombril de*

30 *la mer. Dans cette île boisée habite une déesse, la fille du redoutable Atlas qui porte à lui seul les colonnes séparant la terre et le ciel. C'est sa fille qui le retient, le malheureux ! Il se lamente, mais elle l'ensorcelle de ses douces et mielleuses paroles, afin qu'il oublie Ithaque. Et Ulysse, désespéré de ne pas voir s'élever la fumée de son*

35 *pays, n'aspire qu'à mourir. Ton cœur, roi de l'Olympe, va-t-il rester de pierre ? N'aimais-tu pas les sacrifices qu'autrefois Ulysse t'adressait dans la vaste Troie, devant les vaisseaux des Achéens ? Pourquoi maintenant une telle colère contre lui, ô Zeus ?* »

---

notes

1. nymphe : déesse de la nature (bois, sources, montagnes, campagne...).

2. une hécatombe : un sacrifice à un dieu d'animaux (bœufs, chèvres, moutons, à l'origine au nombre de cent).

3. festoyait : prenait part à un festin.

Zeus, l'assembleur-des-nuées, lui fit cette réponse :

40 « *Mon enfant, quel propos a jailli de tes lèvres ? Comment pourrais-je oublier Ulysse ? En intelligence, il surpasse les autres hommes, et c'est lui qui offrait le plus de sacrifices aux dieux immortels, maîtres-du-vaste-ciel. Mais Poséidon qui-entoure-la-terre lui garde rancune d'avoir crevé l'œil de Polyphème, le Cyclope sem-*
45 *blable-à-un-dieu, le plus fort de sa race. Voilà pourquoi l'Ébranleur-du-sol, sans tuer Ulysse, le contraint d'errer loin de son pays. Mais tous ici pensons à son retour : Poséidon mettra un frein à sa colère, car, seul, il ne pourra tenir tête à tous les immortels !* »

Athéna, la déesse au-clair-regard, lui répondit :

50 « *Ô maître souverain, notre père, fils de Cronos, puisqu'il plaît aux dieux bienheureux que le prudent Ulysse regagne sa demeure, envoyons Hermès, l'éblouissant-messager, dans l'île Ogygie. Il avertira la nymphe à-la-belle-chevelure de cette décision irrévocable[1], et lui dira comment doit rentrer Ulysse à-l'âme-si-endurante. Moi,*
55 *j'irai à Ithaque. J'encouragerai son fils, je lui donnerai la force de convoquer à l'agora les Achéens chevelus et de s'opposer à tous les prétendants[2] qui égorgent ses nombreuses brebis, ainsi que ses bœufs aux-cornes-recourbées. Puis je l'enverrai à Sparte et à Pylos-des-Sables, s'informer du retour de son père et s'acquérir bonne renom-*
60 *mée parmi les hommes.* »

À ces mots, elle fixa à ses pieds ses belles sandales de déesse, toutes d'or, qui la portent sur la mer et la terre immense avec la rapidité du vent. Puis elle s'élança des cimes de l'Olympe, et ne s'arrêta que sur le sol d'Ithaque, sous le porche d'Ulysse.
65 Sur le seuil de la cour, elle tenait une lance de bronze, et avait pris les traits d'un étranger, Mentès, chef des Taphiens.

---

notes

1. irrévocable : qui ne peut être modifiée.

2. prétendants : jeunes aristocrates qui veulent épouser Pénélope, la femme d'Ulysse.

Au fil du texte

AVEZ-VOUS BIEN LU ?

1. Qui retient Ulysse dans l'île ? Pourquoi ?

2. Pourquoi Ulysse veut-il partir ?

3. Qui persécute Ulysse et pour quelle raison ?

4. Qui soutient Ulysse ?

5. Quelle est la décision de Zeus ?

6. À quelles actions Athéna va-t-elle pousser Télémaque ? Qu'en pensez-vous ?

ÉTUDIER LE VOCABULAIRE

7. Cherchez dans un dictionnaire la définition d'« *hécatombe* » et d'« *Odyssée* ». Puis faites quatre phrases : deux où vous emploierez ces mots dans leur sens premier (sens qu'ils ont dans l'*Odyssée*), deux avec le sens qu'ils ont aujourd'hui.

ÉTUDIER LE DISCOURS

8. La situation de communication* : dans le dialogue entre Athéna et son père, à quels temps sont les verbes pour désigner les événements qui se passent au moment où ils parlent, pour désigner ceux qui sont passés et ceux qui sont à venir ?

9. Relevez les adverbes qui soulignent des moments passés, présents et à venir.

situation de communication : circonstances dans lesquelles s'inscrit la communication et qui permettent de savoir :
– qui parle (locuteur),
– à qui on parle (destinataire),
– dans quel but on parle,
– où et quand on parle.

ÉTUDIER UN THÈME : DIEUX ET HÉROS

10. En quoi Athéna ressemble-t-elle à une simple mortelle ? En quoi est-elle différente ?

11. Par quels moyens les dieux entrent-ils en contact avec les mortels ?

12. Connaissez-vous quelques héros de la guerre de Troie ? Citez deux héros troyens et quatre héros achéens (grecs). Aidez-vous d'une encyclopédie, d'un dictionnaire, d'un livre de contes et légendes de la Grèce ancienne en recherchant les mots clés : *Iliade, Troie, Achéens, héros, guerre de Troie...*

ÉTUDIER L'ÉCRITURE

13. Reprenez tous les personnages cités dans le texte et notez en face de leur nom tous les qualificatifs et expressions qui les accompagnent.

14. Choisissez les trois expressions que vous trouvez les plus belles parmi celles que vous avez notées à la question 13. Répétez-les à haute voix jusqu'à les savoir par cœur.

À VOS PLUMES !

15. À votre tour, inventez des groupes nominaux caractérisant des personnes ou des animaux que vous aimez.

16. Récrivez le passage « *Ô Maître souverain... endurante* » (l. 50 à 54), en supprimant tout ce qui n'est pas nécessaire à la compréhension du message. Puis relisez le texte d'Homère et le vôtre à la suite. Dites celui que vous préférez et pourquoi.

[Athéna à Ithaque]

[Dès qu'il voit Mentès, Télémaque va l'accueillir et l'invite à s'asseoir. Après le festin et pendant que chante l'aède[1] Phémios, Télémaque lui dit son malheur à cause de l'absence de son père et se plaint des prétendants.]

Pallas Athéna, le cœur enflammé, lui répondit :
« *Hélas ! dans quelle détresse te plonge l'absence d'Ulysse ! […]*
Allons ! Je t'encourage à réfléchir aux moyens de chasser les préten-
70 *dants hors de ce palais. Fais bien attention à ce que je vais te dire.*
Dès demain, convoque à l'agora[2] *les héros achéens. Adresse-toi à*
tous en prenant les dieux à témoin : que les prétendants rentrent
chez eux, chacun en son domaine ! et que ta mère, si son cœur la
pousse au mariage, regagne le palais de son puissant père ! Quant
75 *à toi, je vais te donner un sage conseil : équipe ton meilleur navire*
de vingt rameurs, et va chercher des nouvelles de ton père, absent
depuis si longtemps. Va d'abord à Pylos interroger le divin Nestor,
puis à Sparte, t'informer auprès du blond Ménélas. C'est le dernier
rentré de tous les Achéens cuirassés-de-bronze. Si tu apprends que
80 *ton père est en vie, qu'il va revenir, patiente alors encore un an, si*
forte soit ta douleur. Mais, si tu apprends qu'il est mort, reviens dans
ton pays natal : tu lui élèveras un tombeau et lui célébreras de
grandes funérailles, comme il se doit, puis donneras un mari à ta
mère. […] »
85 À ces mots, Athéna au-clair-regard s'éloigna, tel un oiseau dans les airs. Mais, dans le cœur de Télémaque, elle avait in-sufflé[3] force et audace, et ranimé le souvenir de son père. Alors, l'âme remplie de crainte, il comprit que c'était un dieu.

---

notes

1. aède : poète qui chante ses œuvres en s'accompagnant de la cithare.

2. agora : place publique sur laquelle se tenaient des assemblées où se décidait la vie de la cité. Désigne aussi l'assemblée elle-même.

3. insufflé : inspiré, transmis.

Chant II

[Jour 2 : Télémaque à l'assemblée d'Ithaque]

[Le lendemain, Télémaque tout empli d'une énergie nouvelle donnée par Athéna, suit ses conseils, et donne l'ordre au héraut[1] de convoquer les Achéens à l'agora. Quand le peuple est réuni, il s'y rend à son tour accompagné de ses deux lévriers, et prend la parole.]

« *Je ne viens pas ici vous apporter des nouvelles du retour de l'armée, je ne viens pas non plus débattre d'une affaire publique. C'est de mes intérêts que je veux parler, du double malheur tombé sur ma maison. Tout d'abord j'ai perdu mon noble père,*
5 *qui régna sur vous tous autrefois en père bienveillant. Mais il est un mal plus grand, qui détruira bientôt ma maison et dévorera tous mes biens. Contre sa volonté, les prétendants courtisent ma mère. Ce sont les fils des meilleurs d'entre vous assemblés ici. Ils*

notes
1. *héraut :* messager.

n'ont pas le courage d'aller chez son père, Icare, qui, en échange de
10 présents, donnerait sa fille à celui de son choix. Non, ils vont et viennent dans ma demeure, égorgeant jour après jour mes bœufs, mes
brebis et mes chèvres grasses. Ils festoient, ils boivent mon vin aux-
reflets-de-feu, en toute folie. Mes réserves s'épuisent et il n'est pas
un homme de la valeur d'Ulysse pour préserver mon toit de ce
15 malheur. Je ne suis hélas pas en mesure de me défendre. Serai-je
toujours dans cette triste situation ? Aurai-je un jour assez de force ?
Car je me défendrais, si j'en avais les moyens : ils ont commis des
actes trop intolérables, et ma maison se ruine, couverte de honte.
Réagissez donc ! Rougissez devant tous les autres peuples, nos
20 voisins. Craignez la colère des dieux qui, indignés, puniront ces
actions injustes ! Par Zeus Olympien je vous en supplie mes amis,
venez à mon aide, et laissez-moi ronger mon chagrin dans la
solitude. [...] »
Telles furent ses paroles, et, dans sa fureur, il jeta son sceptre[1]
25 à terre en versant des larmes. Le peuple fut saisi de pitié. Tous
restaient silencieux, personne n'osait répondre aux paroles
enflammées de Télémaque. Seul Antinoos lui rétorqua :
« Télémaque, orateur plein d'orgueil et de colère, ainsi tu nous
outrages[2], tu veux nous couvrir de honte ? Mais les prétendants ne
30 sont pour rien dans tes malheurs. La responsable, c'est ta mère, avec
son esprit retors[3]. Voilà déjà trois ans, bientôt quatre, qu'elle se joue
des Achéens. À chacun elle laisse espérer, à tous elle fait des pro-
messes, envoie des messages, mais au fond de son cœur elle nourrit
d'autres pensées. Apprends donc quelle dernière ruse elle avait médi-
35 tée. Dans ses appartements elle avait, sur son métier, tissé un grand
voile, un bel ouvrage des plus délicats, nous répétant à tous : "Jeunes

---

notes

1. sceptre : bâton que tient
l'orateur pendant son
discours et qui le rend sacré.

2. tu nous outrages : tu nous
insultes.

3. retors : rusé.

prétendants, certes Ulysse est mort, mais ne hâtez pas mes noces. Laissez-moi achever ce linceul[1] destiné au héros Laërte. Ainsi le fil n'en sera pas perdu, et quand la mort cruelle viendra l'abattre, aucune Achéenne ne pourra me reprocher, devant tout le peuple, d'avoir laissé ensevelir, sans linceul, un homme si riche !" *Telles furent ses paroles, et notre cœur généreux se laissa persuader. Mais, tandis que le jour elle tissait le grand voile, la nuit, à la lueur des torches, elle défaisait son ouvrage ! Pendant trois ans, elle cacha sa ruse et trompa les Achéens. Mais, quand vint la quatrième année, une servante qui était au courant nous révéla la supercherie. Nous surprîmes sa maîtresse en train de défaire le beau voile. Celle-ci fut bien alors forcée de l'achever. Aussi, écoute maintenant la réponse des prétendants. Grave-la bien dans ton cœur, ainsi que tous les Achéens. Renvoie d'ici ta mère ; ordonne-lui d'épouser celui que son père choisira, en accord avec elle. [...] Les prétendants mangeront tes biens et tes vivres aussi longtemps qu'elle gardera ces pensées, celles que les dieux entretiennent encore dans son cœur. Elle en retirera peut-être de la gloire, mais toi tu y perdras tous tes biens. Car nous ne retournerons pas à nos travaux, nous n'irons nulle part ailleurs, tant qu'elle n'aura pas choisi un Achéen pour époux. »*

Le prudent Télémaque lui répondit :

« *Antinoos, comment pourrais-je chasser de ma demeure, contre son gré, celle qui m'a enfanté et nourri ? Mon père est loin d'ici, vivant ou mort, je l'ignore, et il me sera difficile de rendre à Icare toutes ses richesses, si je renvoie ma mère. De la part de son père, je pourrai m'attendre à bien des souffrances, et la divinité m'en réservera d'autres, une fois que ma mère, chassée de notre maison, aura invoqué les cruelles Érinyes. Terrible est la colère des dieux ! Et vous, si*

---

notes

1. linceul : drap dans lequel on enveloppait les morts.

vous la redoutez, sortez de chez moi, allez festoyer ailleurs, allez les uns chez les autres manger tous vos biens. Mais, si vous préférez épuiser impunément les ressources d'un seul homme, faites ! Moi, j'invoquerai les dieux éternels. Et Zeus vous punira de tous vos méfaits[1] :

70 *puissiez-vous alors périr, sans être vengés, dans ma demeure ! »*

Telles furent les paroles de Télémaque. Du haut de la montagne, Zeus à-la-voix-retentissante fit alors s'élancer deux aigles. Portés par le souffle du vent, ils volaient côte à côte, leurs ailes déployées. Une fois parvenus au-dessus de l'agora

75 bruyante, ils firent volte-face en battant vivement des ailes ; et ils gardèrent leur œil fixé sur toutes ces têtes, en présage[2] de mort. Puis, se griffant la tête et le cou de leurs serres[3], ils disparurent sur la droite, au-dessus des maisons et de la ville d'Ithaque. Stupéfaits, tous suivaient des yeux ces aigles, le

80 cœur inquiet des événements à venir.

[Mais ni le discours de Télémaque, ni les mauvais présages envoyés par Zeus ne parviennent à convaincre les prétendants : ils continueront à festoyer[4] au palais d'Ulysse et n'aideront pas son fils à équiper un bateau pour partir à sa recherche. C'est donc Athéna, sous les traits de Mentès, qui lui procure un bateau et un équipage. Télémaque fait préparer les provisions par la nourrice, Euryclée, en lui demandant de taire son départ à sa mère Pénélope. À la tombée du jour, Athéna ayant endormi les prétendants, Télémaque s'embarque. Il navigue toute la nuit.]

---

notes

1. méfaits : mauvaises actions.
2. présage : signe qui peut faire deviner l'avenir.
3. serres : griffes des oiseaux de proie.
4. festoyer : prendre part à un festin.

Au fil du texte

AVEZ-VOUS BIEN LU ?

1. Quelle est la ruse de Pénélope ? Pendant combien de temps a-t-elle réussi à tromper les prétendants ? Connaissez-vous une expression tirée de cette légende ?

2. Quelle est la nourriture des prétendants au palais d'Ulysse ?

champ lexical : **ensemble de mots qui se rapportent à une notion donnée.**

3. Comment se comportent les prétendants ?

4. Que fait Télémaque après son discours ? Qu'en pensez-vous ?

ÉTUDIER LE VOCABULAIRE

5. Relevez le champ lexical★ de la ruse et les mensonges de Pénélope dans le discours d'Antinoos. En quoi se rapproche-t-elle ici d'Ulysse ?

ÉTUDIER UN THÈME : LE STATUT DE LA FEMME

6. Répondez aux questions en citant toutes les expressions qui, dans les discours de Télémaque et d'Antinoos, se rapportent à Pénélope.

a) Peut-elle renvoyer elle-même les prétendants ?

b) Peut-elle décider de retourner chez son père ?

c) Peut-elle décider toute seule de se remarier ?

d) D'où viennent une partie des biens du palais d'Ulysse ?

e) Est-ce Pénélope qui s'occupe des biens du palais ?

f) Quelle est la seule activité que l'on connaisse à Pénélope ?

7. Voyez-vous des ressemblances et des différences entre la vie de Pénélope et celle des femmes d'aujourd'hui dans des pays que vous connaissez ?

À VOS PLUMES !

8. *« Ils gardèrent leurs yeux fixés sur toutes ces têtes, en présage de mort. »*
On voit encore aujourd'hui dans certains faits des signes annonçant l'avenir *(« Araignée du soir... »)*. Donnez-en au moins deux exemples et dites ce que vous en pensez.

9. Malgré leur *« cœur inquiet des événements à venir »*, les prétendants ne quittent pas le palais : ils mourront tous.
Écrivez un petit paragraphe où vous mettrez en scène une personne qui connaît très bien les conséquences désastreuses d'une action et qui la fait quand même. Vous ferez part ensuite de vos réflexions dans un paragraphe de conclusion.

Pénélope et Télémaque devant le métier à tisser.

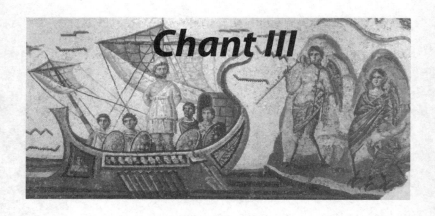

Chant III

[Jours 3 et 4 : Télémaque chez Nestor]

[Le lendemain, Athéna, sous les traits de Mentès, et Télémaque, arrivent à Pylos et sont invités par le roi Nestor et ses fils à participer au festin qu'ils donnent, sur la plage, en l'honneur de Poséidon.]

Quand ils eurent apaisé leur soif et leur appétit, le-vieux-conducteur-de-chars, Nestor, prit la parole :

« *Il convient, maintenant que nos hôtes sont rassasiés, de leur demander qui ils sont. Qui êtes-vous, étrangers ? D'où venez-*
5 *vous ? Naviguez-vous pour quelque négoce¹, ou allez-vous à l'aventure, comme des pirates qui, au péril de leur vie, vont porter le malheur en terre étrangère ? »*

Le prudent Télémaque lui répondit avec assurance, car Athéna avait mis la fermeté dans son cœur, afin qu'il s'in-
10 formât de son père absent, et qu'il en retirât bonne renommée parmi les hommes.

« *Nestor, fils de Nélée, grande-gloire-des-Achéens, je vais*

notes
1. négoce : commerce.

répondre à tes questions. Nous arrivons d'Ithaque au pied du mont Neion, pour t'entretenir d'une affaire privée et non d'ordre public.

15 Je recueille tout ce qu'on raconte sur l'immense gloire de mon père, le divin Ulysse à-l'âme-endurante[1], dont on dit qu'autrefois il renversa la ville des Troyens en combattant à tes côtés. Tous les autres guerriers qui se battirent à Troie, nous savons en quel lieu ils trouvèrent leur funeste[2] destin. De la mort du seul Ulysse, le fils de

20 Cronos a fait un mystère. Nul ne sait où il a péri, s'il a été dompté sur la terre ferme par des ennemis, ou en pleine mer, sous les vagues d'Amphitrite. À tes genoux, je te supplie donc de me parler de sa triste fin, que tu l'aies vue de tes propres yeux ou apprise de quelque voyageur, car sa mère enfanta le plus malheureux des hommes. Parle

25 sans compassion[3], n'adoucis rien par pitié, dis-moi plutôt ce que tu as vu exactement. »

Nestor, le-vieux-conducteur-de-chars, lui répondit alors :
« Ami, tu viens de me rappeler tous les malheurs endurés là-bas par les fils indomptables des Achéens, quand nous embarquions sur la

30 mer azurée en quête de butin[4], sous le commandement d'Achille, et que nous partions à l'assaut de la vaste ville du roi Priam. Là-bas sont morts les plus valeureux[5] des hommes. »

[Mais Nestor ne sait rien sur Ulysse. Il dit à Télémaque :]

35 « Va donc chez Ménélas, je te le recommande. Il est récemment arrivé de l'étranger, d'où il n'espérait jamais revenir, car les tempêtes l'ont fait dériver loin sur la vaste mer, sur cette immensité périlleuse que même les oiseaux ne pourraient traverser en une année. Va, prends ton navire et tes hommes, ou, si tu préfères la voie terrestre, je met-

40 trai à ta disposition un char et des chevaux, et mes fils te guideront jusque dans la divine Lacédémone, où se tient le blond Ménélas.

---

notes

1. endurante : qui supporte la souffrance.

2. funeste : malheureux.

3. compassion : pitié.

4. butin : ce que l'on prend à l'ennemi.

5. valeureux : courageux.

Supplie-le de te dire la vérité : il ne mentira pas, car c'est un homme très sage. »

[Le soleil se couche. Nestor propose d'héberger ses hôtes. Athéna accepte pour Télémaque, et disparaît changée en vautour. Le lendemain matin, Nestor qui a reconnu la déesse décide de faire un sacrifice en son honneur.]

De la campagne, on vit alors venir la génisse[1], puis, de la nef[2]
45 rapide et bien équilibrée, les compagnons du vaillant Télémaque. Vint aussi l'orfèvre, les mains chargées des outils en bronze qui lui servent à façonner l'or : enclume[3], maillet et solides tenailles. Enfin, Athéna vint assister au sacrifice. Nestor, le-vieux-conducteur-de-chars, offrit l'or, et l'orfèvre
50 s'appliqua à en recouvrir les cornes de la génisse afin de réjouir la déesse. Stratos[4] et le divin Échephron tenaient la bête par les cornes. Du cellier, Arétos apportait, dans un bassin orné de motifs à fleurs, de l'eau lustrale[5], et des grains d'orge[6] dans une corbeille. Thrasymède, si fougueux dans la
55 bataille, s'apprêtait, debout près d'elle, à abattre la victime à l'aide d'une hache effilée. Persée, quant à lui, portait le vase destiné à recueillir le sang.

Nestor, le-vieux-conducteur-de-chars, commença par répandre de l'eau lustrale et des grains d'orge, puis adressa
60 des prières à Athéna en prélevant, sur la tête de l'animal, des poils qu'il jetait au feu. À peine avait-on fini de prier et de répandre les grains d'orge, que le fils de Nestor, l'ardent Thrasymède, s'avança : d'un coup de hache, il trancha les muscles du cou, et l'on vit la bête défaillir. Les filles et les

notes

1. génisse : jeune vache qui n'a jamais encore eu de veau.

2. nef : bateau.

3. enclume : outil sur lequel on frappe un métal.

4. Stratos, Échephron, Arétos, Thrasymède, Persée : fils de Nestor.

5. eau lustrale : eau qui sert à purifier.

6. grain d'orge : céréale qui ressemble à un grain de blé.

65 belles-filles de Nestor, ainsi qu'Eurydice, sa vénérable épouse, poussèrent les cris rituels[1]. On souleva alors la victime au-dessus du vaste sol, et on la maintint tandis que Pisistrate[2], le-meneur-de-guerriers, l'égorgeait. Le sang noir coula, et l'âme quitta les os. On s'empressa alors de dépecer

70 l'animal, de découper les cuisses selon le rite, de les enduire de graisse sur les deux faces et de placer dessus des morceaux saignants. Le vieillard les fit brûler sur les braises en les arrosant d'une libation[3] de vin couleur-de-feu.

Près de lui, des jeunes gens tenaient des broches à cinq

75 pointes. Et quand les cuisses furent brûlées et qu'on eut mangé les abats, on coupa le reste de la viande en menus morceaux : on les piqua avec les broches effilées qu'on tenait à la main, puis on les fit griller.

Pendant ce temps, la belle Polycaste, la plus jeune des filles

80 de Nestor, baignait Télémaque. Après l'avoir lavé et frotté d'huile fine, elle le revêtit d'une tunique et d'un beau manteau. Au sortir du bain, il avait l'apparence d'un Immortel. Il alla s'asseoir près de Nestor, berger-de-son-peuple. Lorsqu'on eut retiré du feu la viande bien cuite, on s'assit

85 pour le festin, et de nobles échansons[4] veillèrent à remplir de vin les coupes d'or.

Quand les convives eurent apaisé leur soif et leur appétit, Nestor, le-vieux-conducteur-de-chars, prit la parole :

« Allons, mes enfants, amenez ici, pour Télémaque, des chevaux-à-la-

90 *belle-crinière. Attelez-les à un char, qu'il puisse se mettre en route »*

[Télémaque et Pisistrate voyagent tout le jour et arrivent à Phères[5], où le roi Dioclès leur offre son hospitalité pour la nuit.]

notes

1. **rituels :** habituels lors d'une cérémonie religieuse.
2. **Pisistrate :** fils de Nestor.
3. **libation :** liquide répandu en l'honneur d'un dieu.
4. **échansons :** serviteurs qui servent la boisson.
5. **Phères :** ville de Messénie dans le Péloponnèse.

Au fil du texte

AVEZ-VOUS BIEN LU ?

1. Quelles actions successives sont accomplies en l'honneur de Télémaque ?

2. À quel moment Nestor demande-t-il leur nom à ses hôtes ?

3. Quel est, à votre avis, le but de toutes ces marques d'hospitalité ?

ÉTUDIER LE DISCOURS

4. Quels temps utilise Nestor dans son discours (l. 28 à 32) ?

5. Quels sont ceux que l'on trouve dans le récit du sacrifice (l. 44 à 57) ?

6. Quel temps est commun aux deux passages ?

ÉTUDIER L'ÉCRITURE

7. Les lignes 8 à 11 donnent un exemple de vers formulaires* : « *Le prudent Télémaque lui répondit... hommes.* »
Où avez-vous déjà rencontré ces expressions ?
Est-ce une négligence de l'auteur ?

ÉTUDIER UN THÈME : LE SACRIFICE

8. Recherchez dans le texte les objets nécessaires à l'accomplissement du rite* du sacrifice.

vers formulaires : vers identiques ou très voisins répétés dans différents passages.

rite : cérémonie religieuse réglée. Elle se déroule toujours dans le même ordre et avec les mêmes gestes précis.

vignette : case comportant un dessin et un texte d'une bande dessinée.

plan d'ensemble : cadre et personnages vus de loin.

9. Cherchez dans un dictionnaire des religions des objets de culte appartenant à d'autres religions (juive, catholique, musulmane, etc.) à l'aide des mots clés : *culte, religion, sacré, cérémonie, sacrifice, objet de culte.* Dites à quoi ils sont destinés.

À VOS PLUMES... ET À VOS PINCEAUX !

10. Vous êtes un auteur de bandes dessinées, chargé d'illustrer « les sacrifices dans la mythologie grecque ».
a) Recopiez le texte « *De la campagne... coupes d'or* » (l. 44 à 86) en le découpant en vignettes★ que vous numéroterez (entre 25 et 35 vignettes).
b) Reprenez chaque vignette et pour chacune :
– décrivez le dessin que vous feriez, en utilisant les différents plans : plan d'ensemble★, plan américain★, gros plan★, plongée★, contre-plongée★, insert★... ;
– imaginez le texte (il ne doit pas être une simple description du dessin).
Vous présenterez votre travail dans ce tableau :

Texte de l'*Odyssée*	N° de vignette	Description du dessin	Texte : récit et bulles
« De la campagne ...génisse »	1	Plan d'ensemble : vache et bouvier au loin	En l'honneur d'Athéna, Nestor a décidé un sacrifice.
« de la nef... Télémaque »	2	Plan d'ensemble : nef au loin sur la mer. Compagnons qui marchent.	Tous les compagnons de Télémaque sont invités.

c) Réalisez les vignettes : dessin, texte et bulles (paroles ou pensées d'un personnage).

plan américain : personnage coupé à la taille.

gros plan : une partie du personnage seulement.

plongée : objet ou personnage vu d'en haut. Cela donne une impression d'écrasement, de petitesse.

contre-plongée : objet ou personnage vu d'en bas. Cela donne une impression de supériorité, de grandeur.

insert : gros plan sur un détail qui annonce un événement.

Chant IV

[Jours 5 et 6 : Télémaque chez Ménélas et Hélène]

[Le lendemain, Télémaque et Pisistrate voyagent encore tout le jour et arrivent le soir à Sparte où c'est la fête. Le roi Ménélas et la reine, la belle Hélène, à l'origine de la guerre de Troie, célèbrent un double mariage : celui de Megapenthès, fils de Ménélas, et celui d'Hermione, leur fille unique à tous les deux, promise au fils d'Achille vers qui elle va être conduite. Ménélas, prévenu de l'arrivée de Télémaque et de Pisistrate, donne immédiatement l'ordre à des serviteurs d'aller les chercher.]

Après avoir dételé les chevaux, les serviteurs inclinèrent le char contre le mur resplendissant, puis conduisirent les voyageurs dans la demeure divine. Émerveillés, ceux-ci contemplaient le palais du roi chéri-de-Zeus.
5 La haute demeure de l'illustre Ménélas rayonnait, en effet, de mille feux[1], semblable au Soleil ou à la

notes

1. mille feux : l'expression évoque les murs qui sont couverts de feuilles d'or et d'argent.

Lune. Quand leurs yeux furent rassasiés de ce spectacle, ils se
dirigèrent vers des baignoires polies[1]. Une fois baignés et
frottés d'huile par des servantes, puis revêtus d'une tunique
10   et d'un épais manteau de laine, ils revinrent s'asseoir près de
l'atride[2] Ménélas. Afin qu'ils pussent se rincer les doigts, une
servante, avec une aiguière[3] d'or magnifique, versa de l'eau
dans un bassin d'argent, puis dressa devant eux une table
polie. Une vénérable intendante y déposa alors de la nour-
15   riture. D'un geste de la main, le blond Ménélas leur dit :

« *Servez-vous, rassasiez-vous. Et quand vous aurez fini de vous
restaurer, nous vous demanderons qui vous êtes. [...]* »

De sa haute chambre parfumée sortit alors Hélène, semblable à Artémis aux-flèches-d'or. [...] Elle s'allongea sur un
20   siège et se mit aussitôt à questionner son époux :

« *Savons-nous, Ménélas chéri-de-Zeus, qui sont ces jeunes gens ?
Peut-être suis-je dans l'erreur, mais mon cœur me dit, tant la res-
semblance est grande, que l'un d'eux est Télémaque, fils du vaillant
Ulysse. [...]* »

25   Le blond Ménélas lui fit cette réponse :

« *Je partage ton avis, femme. Oui, je reconnais bien là ses pieds, ses
mains, le feu de son regard, son visage et sa chevelure. [...]* »

Hélène prit de nouveau la parole :

« *Atride Ménélas, chéri-de-Zeus, et vous autres nés de nobles pères,*
30   *tandis que vous goûtez, assis en ce palais, au plaisir du repas,*
laissez-vous charmer par mon récit. Je ne vous énumérerai pas tous
les exploits de l'endurant Ulysse, je vous raconterai seulement le
coup d'éclat qu'osa cet homme énergique, en terre troyenne, au temps
de vos malheurs, à vous Achéens. Après s'être meurtri le corps de

---

notes

1. polies : lisses et luisantes.
2. atride : voir glossaire.
3. aiguière : vase avec une
anse et un bec où l'on met
de l'eau pour la toilette.

35 coups atroces, et revêtu de haillons[1] sordides[2], il vint, semblable à un
esclave, se mêler à la foule des ennemis. Toute la ville se laissa
berner[3]. Je fus la seule à le reconnaître sous cet aspect ; je l'interro-
geai : il rusa, dissimula, mais, quand je l'eus baigné et frotté d'huile,
quand je lui eus donné un vêtement et juré solennellement de ne pas
40 révéler la présence d'Ulysse parmi les Troyens, avant qu'il n'eût
regagné ses nefs rapides et son campement, alors il m'exposa en
détail le plan des Achéens. Puis, de son arme tranchante, il fit un
grand massacre de Troyens, et revint près des Argiens leur rapporter
ses précieuses informations. Tandis que les autres Troyennes criaient
45 leur douleur, moi je me réjouissais secrètement car, déjà, mon cœur
formulait d'autres vœux : je désirais rentrer ici, et regrettais la folie
qu'Aphrodite m'avait fait faire, en me conduisant là-bas, loin de ma
chère patrie, et en me séparant de ma fille, de ma chambre nuptiale[4]
et de mon époux, qui ne manque ni d'intelligence ni de beauté. »
50 Le blond Ménélas lui fit cette réponse :
« Tout ce que tu as dit, femme, est juste. J'ai eu l'occasion de
connaître la force de caractère et la sagesse de nombreux héros, car j'ai
parcouru le vaste monde, mais jamais mes yeux n'ont vu un homme
aussi courageux qu'Ulysse. Écoutez donc un autre coup d'éclat
55 qu'osa cet homme énergique dans le cheval de bois[5], où s'étaient
installés les meilleurs d'entre nous. Toi-même, Hélène, tu vins là,
poussée sans doute par une divinité qui voulait assurer la gloire
des Troyens. Trois fois tu fis le tour du piège, frappant sur le creux et
appelant par leur nom les meilleurs des Danaens. Nous étions assis
60 parmi eux, moi, le fils de Tydée[6] et le divin Ulysse, et nous écou-

notes

1. **haillons :** étoffes abîmées servant de vêtements.

2. **sordides :** très sales.

3. **berner :** tromper.

4. **chambre nuptiale :** chambre où dorment les époux.

5. **cheval de bois :** énorme statue en bois creux imaginée par Ulysse et dans laquelle se cachèrent les Achéens pour entrer dans Troie.

6. **fils de Tydée :** le héros grec Diomède.

tions tes appels. Diomède et moi brûlions d'impatience, pressés de sortir ou de te répondre de l'intérieur. Mais, heureusement, Ulysse nous arrêta : il contint la force de notre désir. »

[Le soir tombe. Des lits sont dressés dans l'entrée du palais pour Télémaque et Pisistrate. Le lendemain, à peine a paru Aurore aux-doigts-de-rose, que Ménélas va trouver Télémaque et lui demande la raison de son voyage. Ménélas lui raconte alors comment, en Égypte, il a pu interroger Protée, le Vieillard qui toujours s'échappe en changeant d'apparence, et lui rapporte la mort d'Ajax, celle d'Agamemnon tué par Égisthe, et lui révèle qu'Ulysse est toujours vivant, mais qu'il est retenu par la nymphe Calypso.

Pendant que Ménélas et Télémaque s'entretiennent, les prétendants, au palais d'Ulysse, apprennent le départ de Télémaque et, furieux, décident de lui tendre une embuscade. Prévenue de ce qui se trame, Pénélope, anxieuse, fait une offrande à Athéna et la prie pour qu'elle protège son fils. Dans un songe, Athéna, sous l'apparence d'Iphthimé, la sœur de Pénélope, vient la rassurer.]

Scène de sacrifice à Apollon. Cratère du ve siècle av. J.-C.

Au fil du texte

AVEZ-VOUS BIEN LU ?

1. Quelle est la réaction des visiteurs devant le palais de Ménélas ?

2. Par qui Ménélas apprend-il l'identité de son visiteur ?

3. Quel accueil Ménélas et Hélène réservent-ils à Télémaque ?

4. Quelle image Hélène et Ménélas donnent-ils d'Ulysse ?

champ lexical : **ensemble des mots qui se rapportent à une notion donnée.**

ÉTUDIER LE DISCOURS

5. Dans cette narration, des événements passés sont introduits ainsi : « *Je vous raconterai* » (l. 32), « *Écoutez donc* » (l. 54). Quels sont ces événements ? Qui se charge de les raconter ?

6. À quelle autre œuvre d'Homère ces récits passés font-ils penser ?

ÉTUDIER L'ÉCRITURE

7. Repérez les champs lexicaux* utilisés pour décrire le palais de Ménélas. Quel effet produisent-ils ?

ÉTUDIER UN THÈME

8. L'hospitalité : comparez celle de Ménélas et celle de Nestor. Y a-t-il des différences ?

9. La femme : quelle place Hélène occupe-t-elle dans le palais ?

10. Quelle image Hélène donne-t-elle d'elle-même et qu'en pense son époux ?

11. Comparez la situation d'Hélène dans son palais à celle de Pénélope. Qu'en pensez-vous ?

À VOS PLUMES... ET MISE EN SCÈNE !

12. Imaginez que vous êtes un réalisateur de cinéma. Vous tournez un court métrage à partir de ce texte, en montrant à la fois les scènes décrites par Homère et les scènes racontées.
Pour chaque scène :

a) De combien d'acteurs aurez-vous besoin ? Précisez le nom des personnages à jouer.

b) Quels accessoires allez-vous demander au chef décorateur ?

Reportez vos réponses dans ce tableau, instrument de travail de l'équipe :

N° de scène	Lieu	Moment	Personnages et animaux	Accessoires et décors
1	Devant le palais de Ménélas.	Jour 6.	2 chevaux, 1 serviteur.	Murs du palais, un char.

c) Comment vous y prendrez-vous pour bien montrer aux spectateurs que toutes les scènes ne se passent pas au même moment et que certaines sont racontées ?

LIRE L'IMAGE

13. Dites ce que fait chacune des personnes sur le vase page 27. Reconnaissez-vous des objets ? (Relisez le chant II, l. 58 à 78.)

[Jours 7 à 31 : chez Calypso]

[Au cours d'une nouvelle assemblée, Athéna demande encore à Zeus de permettre le retour d'Ulysse. Zeus ordonne à Hermès de porter à Calypso le message sans appel sur le retour d'Ulysse, dont le déroulement est fixé. Le messager aux rayons clairs se hâte d'obéir, chausse ses divines sandales brodées de bel or, saisit sa baguette et prend son vol.]

Parvenu dans l'île du bout du monde, Hermès sortit de la mer aux-mauves-reflets et gagna la terre ferme. Il se dirigea vers la grande caverne où demeurait la nymphe[1] aux-belles-boucles. Il la trouva à l'intérieur. Sur le foyer
5 brûlait un grand feu : en se consumant, le cèdre et le tendre thuya parfumaient l'île entière. Calypso était là, chantant de sa voix mélodieuse et tissant une toile avec une navette[2] d'or.

notes

1. nymphe : déesse de la nature (bois, sources…).

2. navette : pièce de bois ou d'os, pointue à ses extrémités, qui permet d'entrecroiser les fils sur le métier à tisser.

Autour de la caverne s'étendait une forêt luxuriante[1], composée d'aulnes[2], de peupliers et de cyprès odorants.
Là venaient nicher les oiseaux aux ailes vives : chouettes, éperviers et criardes corneilles, qui vont s'ébattre sur les flots. À l'entrée de la profonde caverne, une jeune vigne déployait ses rameaux chargés de grappes de raisin. Tout près d'elle, presque côte à côte, jaillissaient quatre sources dont les eaux limpides couraient ici et là. Les alentours étaient parsemés de tendres bouquets de violettes et de persil, et ce spectacle aurait réjoui n'importe quel Immortel abordant en ces lieux.

[Calypso reconnaît aussitôt Hermès. Elle lui offre les dons de l'hospitalité et lui demande la raison de sa venue.]

Hermès lui répondit alors :
« [...] *C'est Zeus qui m'a ordonné de venir ici, contre mon gré. Quel plaisir y a-t-il, en effet, à parcourir ces immensités salées, pour atteindre ces rivages inhabités où les dieux ne reçoivent ni sacrifices ni hécatombes de choix ? Mais aucun dieu ne peut mépriser ni briser la volonté de Zeus qui-tient-l'égide*[3]. *Il dit qu'un homme est là, le plus malheureux de ceux qui combattirent au pied de la citadelle de Priam. Il t'ordonne maintenant de le renvoyer chez lui, au plus vite, car sa destinée n'est pas de périr ici, loin des siens.* »
À ces mots, Calypso, la-toute-divine, frémit et lui adressa ces mots ailés :
« *Que vous êtes cruels, vous autres dieux, avec votre jalousie démesurée ! Vous ne supportez pas qu'une déesse affiche ouvertement son amour pour un homme, quand elle en a fait son compagnon. [...] Aujourd'hui, vous enviez la présence d'un simple mortel à mes côtés. N'est-ce pas moi cependant qui l'ai sauvé, quand il dérivait*

---

notes

1. luxuriante : très abondante. **2. aulnes :** arbres qui poussent dans des lieux humides. **3. égide :** voir glossaire.

35   *seul sur sa quille[1] après que Zeus, de sa foudre étincelante, eut fra-*
cassé son navire sur la mer couleur-de-vin ? Tous ses vaillants com-
pagnons avaient péri. Lui, poussé par le vent et la houle, aborda en
ces lieux, où je le chéris, le nourris et lui promis l'immortalité et une
jeunesse éternelle. Mais il est vrai qu'aucun dieu ne peut mépriser
40   *ni briser la volonté de Zeus qui-tient-l'égide. Qu'il parte donc*
affronter la mer inféconde[2], puisque Zeus l'exige ! Mais comment
le renverrai-je ? Je ne dispose d'aucun navire à rames, d'aucun
homme qui puisse le conduire sur le large dos de la mer. Je mettrai
tout mon cœur cependant à le conseiller, en toute franchise, afin qu'il
45   *regagne sain et sauf sa patrie. »*

L'éblouissant messager lui dit alors :

« *Oui, laisse-le partir. Crains la colère de Zeus et sa rancune qui*
pourraient, un jour, se retourner contre toi. »

À ces mots le dieu puissant, l'éblouissant, s'en alla.

50   Attentive aux ordres de Zeus, l'auguste[3] nymphe se dirigea
alors vers Ulysse. Elle trouva ce cœur généreux assis sur le
rivage escarpé. Ses yeux étaient baignés de larmes. Sa douce
vie se consumait[4] dans la nostalgie du retour, car il n'aimait
plus Calypso. La nuit, il devait rester au creux de la grotte,
55   obéissant malgré soi aux désirs de la nymphe. Mais, le jour,
il restait assis sur les roches du rivage, les yeux rivés sur la mer
inféconde, et il pleurait.

La-toute-divine s'approcha et lui dit :

« *Infortuné, ne reste plus là à te lamenter, ne consume pas vaine-*
60   *ment tes jours : je consens désormais à te laisser partir. Prends donc*
tes outils en bronze, taille de grandes poutres en bois et ajuste-les
pour en faire un radeau de bonne dimension, sur lequel tu fixeras
un solide gaillard[5], afin qu'il te conduise sur la mer azurée. Moi,

---

notes

1. quille : partie inférieure de la coque d'un navire.

2. mer inféconde : qui ne porte pas de fruits.

3. auguste : majestueuse.

4. se consumait : s'épuisait.

5. gaillard : partie surélevée sur le pont d'un bateau.

j'y déposerai du pain, de l'eau et du vin sombre, pour te réconforter et apaiser ta faim. Je te fournirai aussi des vêtements et ferai souffler
65 *un bon vent arrière. Ainsi tu regagneras sain et sauf ta patrie, si du moins les dieux, maîtres-du-vaste-ciel, y consentent, car, pour décider et agir, ils me sont supérieurs. »*

Quatre jours plus tard, tout était prêt. Le cinquième, la divine Calypso le renvoya de l'île après l'avoir baigné et cou-
70 vert de vêtements parfumés. Elle fit se lever un vent favorable, et Ulysse, fou de joie, ouvrit ses voiles à cette douce brise. [...] Dix-sept jours durant, il navigua en pleine mer. Le dix-huitième jour, il vit se profiler à l'horizon l'ombre des montagnes de Phéacie : la terre toute proche formait
75 comme un bouclier bombé sur la mer azurée.

Mosaïque d'Ostie (Italie) représentant un bateau antique.

33

Au fil du texte

AVEZ-VOUS BIEN LU ?

1. Quelle impression retirez-vous de tout ce qui nous est dit (localisation, habitants, aspect) sur l'île de Calypso ?

2. Quelle image des dieux peut-on se faire en entendant parler Calypso ?

3. Quelle épreuve Ulysse a-t-il subie avant son arrivée sur l'île ?

4. Pourquoi Ulysse pleure-t-il ?

5. En combien de jours Ulysse construit-il son bateau ? Trouvez-vous normal qu'il sache le faire ?

ÉTUDIER LE VOCABULAIRE ET LA GRAMMAIRE

6. Isolez l'élément commun à ces trois termes : *inféconde, inhabité, infortuné.*

a) Quelle est sa signification ?

b) Trouvez trois adjectifs construits de la même façon.

7. « *N'est-ce pas moi* [...] *qui l'ai sauvé...* », dit Calypso.

a) Employez successivement *toi, lui, nous, vous, eux,* et terminez la phrase.

b) Lorsqu'un verbe a pour sujet un pronom relatif, avec quel mot s'accorde-t-il ?
Écrivez clairement la règle.

ÉTUDIER LE DISCOURS

8. Pourquoi Calypso laisse-t-elle partir Ulysse, d'après l'auteur ?

9. Pourquoi Calypso laisse-t-elle partir Ulysse, d'après Calypso elle-même ?

ÉTUDIER L'ÉCRITURE

10. La description : par quelles sensations Hermès découvre-t-il l'île de Calypso et sa demeure ? Vous compléterez le tableau ci-dessous :

Sensations	Noms communs	Adjectifs	Verbes
Vue	....	....	....
Odorat (parfums)	....	....	....
Ouïe (sons)	....	....	....

11. Dans quel ordre est décrit le domaine de Calypso ? Relevez les indices de changement de lieu.

À VOS PLUMES !

12. Décrivez un lieu que vous aimez dans un petit paragraphe. Vous le rendrez vivant pour le lecteur en notant très précisément vos sensations visuelles, auditives, olfactives et peut-être aussi gustatives et tactiles. Vous guiderez votre lecteur dans ce lieu : au loin, dehors, tout près, etc. Vous terminerez par une phrase exprimant votre sentiment.

LIRE L'IMAGE

13. Nommez les parties du bateau que vous reconnaissez (p. 33).

[La tempête] Mais, comme il revenait de chez les Éthiopiens, le tout-puissant Poséidon, l'Ébranleur-du-sol, l'aperçut du haut du mont Solyme[1] : il

80 le voyait cinglant[2] sur la mer ! Fou de rage, il secoua la tête et agita ces pensées :

« Hélas ! pendant mon séjour chez les Éthiopiens, les dieux ont donc modifié leur projet concernant Ulysse. Le voici tout près de la Phéacie, où le destin l'arrachera au lot de misères qui devait être le

85 *sien ! Eh bien moi, je lui promets qu'il n'est pas au bout de ses peines ! »*

À ces mots, le dieu prit son trident, rassembla les nuées[3] et déchaîna la mer. Il souleva tous les vents, provoquant ainsi une violente tempête : la terre et la mer étaient ensevelies

90 sous les nuages, et la nuit s'abattit du haut du ciel. Tous les vents faisaient rage : l'Euros, le Notos, l'impétueux Zéphyr et le Borée qui–naît–haut–dans–l'azur ; ensemble, ils soule-vaient des vagues énormes.

Ulysse, sentant faiblir ses genoux et son cœur, s'adressa à soi-

95 même ces paroles désespérées :

« Hélas ! À quel malheur faut-il encore que je m'attende ? Je crains que Calypso n'ait dit vrai, quand elle m'assurait qu'avant de rega-gner ma patrie, je sombrerais dans une tourmente de malheurs. Sa prédiction s'accomplit donc ! Que de nuages amoncelés par Zeus

100 *dans le vaste ciel ! Quelle mer déchaînée ! Et tous ces vents qui soufflent en rafales ! C'est certain, voici pour moi le gouffre de la mort ! Trois fois, quatre fois heureux les Danaens qui périrent à Troie, dans leur ardeur à servir les Atrides ! Comme je regrette de n'être pas mort le jour où les Troyens, massés autour du cadavre*

notes

1. **mont Solyme :** montagne d'Asie Mineure.

2. **cinglant :** naviguant à la voile dans une direction donnée.

3. **nuées :** nuages.

105 *d'Achille, me harcelaient avec leurs lances de bronze ! J'aurais à ce*
jour une tombe, et les Achéens chanteraient ma gloire. Mais hélas !
le destin me réserve une mort déshonorante. »

Comme il disait ces mots, une vague gigantesque déferla sur
lui. Le choc fut terrible : le radeau chavira, et Ulysse, lâchant
110 le gouvernail, fut rejeté au loin. Sous l'assaut des rafales, le
mât se brisa en deux. Voile et vergue[1] furent emportées au
loin.

Ulysse resta longtemps au fond de l'eau. Vaincu par la force
des vagues, alourdi par les vêtements que lui avait procurés
115 Calypso, il n'arrivait pas à remonter à la surface. Après un
long moment, il émergea enfin. Sa bouche recrachait l'onde
amère dont sa tête ruisselait. Il était épuisé, mais n'oubliait
pas pour autant son radeau.

Il nagea dans sa direction, réussit à l'agripper et s'assit dessus
120 afin d'échapper à la mort. Le radeau, emporté par la houle[2],
dériva au gré du courant. De même qu'en automne Borée
balaie sur la plaine les fleurs des chardons agglutinées en tas,
de même les vents entraînaient le radeau dans leur sillage.

Mais la fille de Cadmos l'aperçut. C'était Inô aux-belles-
125 chevilles, jadis simple mortelle pourvue d'une belle voix,
devenue à présent Leucothée, déesse honorée sur les flots de
la mer. Elle eut pitié de la souffrance d'Ulysse à la dérive.
Elle vint donc s'asseoir sur le radeau, et dit :

« Pauvre Ulysse, pourquoi Poséidon, l'Ébranleur-du-sol, te voue-
130 *t-il une telle haine ? Pourquoi te fait-il endurer tant de souffrances ?*
Mais, il a beau le vouloir, il ne t'anéantira pas. Suis donc mes
conseils, car tu me sembles raisonnable. Ôte tes vêtements, et laisse

---

notes

1. vergue : pièce de bois posée perpendiculairement au sommet du mât et portant la voile.

2. houle : mouvement de la mer agitée par le vent.

les vents emporter ton radeau. Nage de toutes tes forces jusqu'au
rivage de Phéacie où le destin t'offre le salut. Avec ce voile divin que
135 tu étendras sur ta poitrine, tu n'auras à craindre ni la souffrance
ni la mort. Mais, quand tu auras atteint la terre ferme, détache-le,
jette-le dans la mer couleur-de-vin, loin du rivage, et détournes-en
tes regards. »
Elle dit, et lui donna le voile, avant de disparaître dans les
140 vagues houleuses, semblable à une mouette.

Le cœur et l'esprit troublés, Ulysse méditait ces conseils,
lorsque Poséidon, l'Ébranleur-du-sol, souleva une vague
gigantesque, en forme de voûte, qui vint s'écraser contre lui.
De même qu'un tas de paille sèche, pris dans une tornade,
145 s'éparpille aux quatre vents, de même les poutres du radeau
volèrent en éclat. Ulysse alors enfourcha l'une d'elles,
comme un cavalier pressant l'allure de son cheval ; vite il se
débarrassa des vêtements offerts par Calypso, puis étendit le
voile sur sa poitrine. Et il plongea tête la première dans la
150 mer, ouvrit ses deux bras, et nagea vigoureusement.

Le puissant Ébranleur-du-sol le vit. Il secoua la tête, se disant
en lui-même :

« Va, erre sur la mer, et souffre mille morts, jusqu'à ce que
t'accueillent les Phéaciens chéris-de-Zeus. Et même alors, j'espère
155 que tu ne seras pas au bout de tes peines. »

Pendant deux jours et deux nuits, Ulysse fut ballotté par la
houle. Plus d'une fois son cœur pressentit la mort. Mais,
quand, le troisième jour, parut l'aurore aux-belles-boucles, le
vent cessa de souffler. Le calme revint, et Ulysse aperçut
160 enfin, toute proche de lui, la terre ferme : cramponné au
sommet de la vague, il scrutait la côte du regard. De même
que des enfants voient avec bonheur leur père reprendre
goût à la vie, après une longue maladie et de violentes souffrances, de même Ulysse se réjouissait à la vue de la terre et
165 des forêts. Il nagea donc, pressé de mettre pied à terre. Mais,

quand le rivage ne fut plus qu'à portée de voix, il entendit le bruit assourdissant de la mer contre des écueils[1] : la vague, près de la terre ferme, formait un grondement de tonnerre, un mugissement terrible, et tout était noyé d'écume. Il n'y avait aucun port à l'horizon pour abriter les navires, aucune crique, seulement des falaises, des promontoires[2] escarpés, des écueils et des rocs !

Ulysse sentit son cœur et son esprit se troubler ; au même instant, la violence de la vague le projeta contre l'escarpement d'une roche. Il aurait eu la peau arrachée, les os broyés, si Athéna, la déesse au-clair-regard, ne lui avait inspiré une idée. Des deux mains, il agrippa la roche et s'y cramponna en gémissant, jusqu'à ce que la vague fût passée. Il tint bon ; malheureusement, le reflux[3] le frappa de plein fouet et le rejeta au large. Quand il émergea des flots qui grondaient sur le rivage, il nagea vers le bord, fouillant la côte du regard pour apercevoir une plage abritée ou une crique.

Nageant toujours, il atteignit l'embouchure d'un fleuve aux-belles-eaux. L'endroit, dépourvu de rochers et bien abrité du vent, lui parut excellent. Il s'engagea donc plus avant et pria ainsi :

« *Qui que tu sois, Seigneur, écoute mes prières. Je viens à toi, pour échapper à la mer, à Poséidon et à sa colère. Il ne peut laisser les dieux indifférents, le naufragé qui, comme moi, s'adresse à tes eaux et se met à tes genoux, après avoir tant souffert. Aie pitié Seigneur, je t'en supplie.* »

Il dit ; aussitôt, le dieu du fleuve apaisa son cours, retira les vagues, et rétablit le calme devant le héros, pour lui offrir le

---

notes

1. écueils : rochers ou bancs de sable à fleur d'eau et invisibles que peuvent heurter les bateaux.

2. promontoires : rochers élevés qui s'avancent au-dessus de la mer.

3. reflux : mouvement en arrière de la vague.

salut à l'embouchure de ses eaux. Ulysse se laissa alors tom-
195 ber sur ses genoux et ses robustes mains, car la mer avait
dompté son cœur. Sa peau était toute tuméfiée[1] ; l'eau salée
ruisselait de sa bouche et de ses narines. Il restait étendu là,
à bout de souffle, sans voix, complètement épuisé.
Mais, quand il eut repris haleine et senti
200 les forces revenir dans sa poitrine, il
détacha le voile de la déesse et le
lança dans le fleuve, en direction de
la mer. Le courant emporta le voile
au loin, et Inô vint le recueillir de
ses propres mains. Ulysse sortit
alors du fleuve et s'étendit
au milieu des joncs[2] pour
embrasser la terre féconde.

[Il va se glisser au creux d'un
olivier qui ne laisse pénétrer
ni les vents les plus forts ni les
brumes humides, s'allonge, ramène
sur son corps une brassée de feuilles.
Alors Athéna, pour chasser au plus
tôt l'épuisante fatigue, lui ferme les
paupières.]

**Marionnette
représentant
la déesse Athéna
dans le spectacle
de la Cie Écla Théâtre, 1998.**

notes

1. *tuméfiée :* gonflée.

2. *joncs :* plantes à haute
tige poussant dans les lieux
humides.

Au fil du texte

AVEZ-VOUS BIEN LU ?

1. Quelles sont les réactions d'Ulysse pendant la tempête ? Répondez en citant le texte.

2. À votre avis, Ulysse pourrait-il se sauver sans l'intervention d'Inô et d'Athéna ?

3. Comment le dieu Poséidon vous apparaît-il ?

4. Ulysse au cœur de la tempête : que regrette-t-il ? que craint-il ? pourquoi ?

5. Combien de jours aura duré le voyage d'Ulysse depuis Ogygie jusqu'à la Phéacie ? Citez le texte.

ÉTUDIER LE GENRE

6. L'épopée : trouvez les trois phrases qui commencent par *« de même que… de même »* et qui permettent à Homère de développer une comparaison. Recopiez ensuite uniquement la deuxième partie, en commençant par le sujet et en supprimant *« de même »*. Lisez les deux versions : laquelle préférez-vous ? Expliquez pourquoi.

7. Le merveilleux chez Homère : six divinités interviennent dans la vie d'Ulysse dans les deux derniers extraits, « chez Calypso » et « la tempête ». Notez-les dans le tableau et dites, pour chacune d'elles, quelle est son action et sous quelle forme elle apparaît quand Ulysse la voit.

Divinités	Apparence pour Ulysse	Actions pour Ulysse
. . . .	. . . .	. . . .

Chant VI

[Jour 32 : Ulysse et Nausikaa] Tandis que le divin Ulysse à-l'âme-endurante dormait là, accablé de sommeil et de fatigue, la déesse Athéna se dirigeait vers le peuple et la cité de Phéacie. […]

5 Elle alla droit dans la chambre magnifique où dormait la jeune Nausikaa, aussi grande, aussi belle qu'une déesse : c'était la fille d'Alkinoos au-grand-cœur. Comme un souffle de vent, elle se glissa près du lit de la vierge. Elle avait pris les traits d'une jeune fille du même âge que

10 Nausikaa et chère au cœur de celle-ci.

Sous cette apparence, Athéna au-clair-regard lui dit :

« *Nausikaa, quelle fille négligente es-tu donc ? Vois tous ces luxueux vêtements qui gisent là, sans soin ! Ton mariage est proche ; ne faudra-t-il pas alors des vêtements magnifiques pour*

15 *toi-même et tous ceux qui formeront ton cortège*[1] ? *N'est-ce pas*

notes

1. cortège : groupe de
personnes qui suit quelqu'un
pour lui faire honneur.

nécessaire, si l'on veut s'acquérir une bonne renommée, et réjouir son père et sa noble mère ? Allons ! n'attends pas l'aurore, va supplier ton père Alkinoos de mettre à ta disposition des mules et un char pour emmener ces ceintures, voiles et luxueux vêtements. Toi-même,

20 *fais le trajet en char plutôt qu'à pied, car les lavoirs[1] sont loin de la ville. »*

Sur ces mots, la déesse au–clair–regard disparut.

[Dès l'aurore, Nausikaa s'en va demander à son père un attelage pour emporter le linge à laver au fleuve. Son père accepte aussitôt, et sa mère lui donne des vivres et du vin pour le repas et une fiole pleine d'une huile bien fluide pour se frotter après le bain.]

Nausikaa et ses servantes gagnèrent le fleuve aux–belles–eaux–courantes. Il y avait là de profonds lavoirs où coulait

25 une eau très pure, capable de nettoyer le linge le plus sale. Elles dételèrent les mules et les poussèrent le long des eaux tourbillonnantes, afin qu'elles pussent brouter l'herbe douce–comme–le–miel. Puis elles déchargèrent les vêtements entassés dans le char, les plongèrent dans des trous

30 d'eau sombre et les foulèrent[2] sous leurs pieds, en rivalisant d'ardeur.

Quand le linge sale fut lavé, bien nettoyé, elles l'étendirent sur le bord du rivage, là où la mer rejette le plus de galets. Puis, s'étant baignées et frottées d'huile fine, elles prirent un

35 repas sur les rives du fleuve, en attendant que les rayons du Soleil eussent séché les vêtements.

Après s'être rassasiées, maîtresse et servantes dénouèrent les voiles autour de leur tête, et jouèrent à la balle. Nausikaa aux–bras–blancs menait le chœur des jeunes filles, semblable

---

notes

1. lavoirs : dans l'Antiquité, le linge était lavé sur les pierres au bord des fleuves.

Cela se pratique encore aujourd'hui dans beaucoup de régions du monde.

2. foulèrent : pressèrent en tapant des pieds.

40 à la déesse Artémis, lorsqu'elle court sur la montagne, entourée de ses nymphes. Ainsi, la jeune vierge indomptée[1] se
distinguait de ses suivantes par sa taille et sa beauté.

Mais déjà l'heure était venue de rentrer au palais, d'atteler les
mules et de plier les beaux vêtements. La déesse Athéna eut

45 à cet instant une idée : Ulysse, réveillé, verrait la jeune fille
au-beau-visage, et serait conduit par elle jusqu'à la cité des
Phéaciens. Très vite alors, la balle, lancée par la princesse à
l'une de ses suivantes, manqua son but et tomba dans un
profond remous[2]. Les jeunes filles poussèrent des cris aigus :

50 le divin Ulysse s'éveilla et se redressa, l'esprit et le cœur
troublés : « *Hélas ! chez quels mortels, en quel pays ai-je encore
échoué ? Ces bruits autour de moi, ne dirait-on pas des cris de
jeunes filles ? Je vais aller voir par moi-même.* »

Le divin Ulysse émergea alors des buissons. De sa large

55 main, il cassa, dans l'épaisse frondaison[3], une branche feuillue
dont il couvrit son sexe. Il s'avança, tel un lion des montagnes qui se fie à sa force et ne craint ni la pluie ni le vent :
ses yeux lancent des éclairs, et il se jette sur les bœufs, les
brebis ou les cerfs sauvages, car son ventre crie famine. De

60 même Ulysse allait au-devant de ces jeunes filles aux-belles-
boucles, tout nu qu'il était, car la nécessité le poussait. Mais
quel spectacle effrayant pour celles-ci ! L'eau de la mer avait
crevassé la peau du héros, et elles s'enfuirent, épouvantées,
jusqu'au bord du rivage. Seule la fille d'Alkinoos resta :

65 Athéna avait mis la hardiesse dans son cœur et chassé la peur
de ses membres. Elle se tenait immobile face à lui. Ulysse
hésitait : allait-il, pour implorer[4] la jeune fille au-doux-

---

notes

1. **indomptée :** qui n'a pas encore de maître.
2. **remous :** tourbillons.
3. **frondaison :** feuillage.
4. **implorer :** supplier.

visage, embrasser ses genoux[1], ou bien rester à distance et user de douces paroles ? Après réflexion, il jugea préférable de rester à distance et d'user de douces paroles ; il craignait, en effet, d'irriter la jeune fille en embrassant ses genoux.

Il lui tint lors ce discours, tout de miel et d'astuce :

« Je t'adresse mes prières, ô reine, que tu sois une déesse ou une simple mortelle. Si tu es l'une des déesses qui-occupent-le-vaste-ciel, je reconnais en toi la grâce, la stature et la beauté d'Artémis, la fille du grand Zeus. Si tu es l'une des mortelles qui habitent sur la terre, quel bonheur pour ton père et ta noble mère, quel bonheur pour tes frères ! Ils doivent éprouver un plaisir infini à voir danser une telle fleur au milieu d'un chœur. Mais mille fois plus heureux encore celui qui, grâce à la richesse de ses présents, t'emmènera dans sa maison ! Son cœur sera comblé. Non, jamais je n'ai contemplé pareille beauté, ni chez un homme ni chez une femme. Ta vue me remplit d'admiration, mais je n'ose toucher tes genoux. Immense est ma souffrance cependant ! Hier seulement, j'ai pu échapper à la mer couleur-de-vin. Parti de l'île Ogygie, j'ai été, vingt jours durant, prisonnier des flots et d'une violente tempête. Et voilà maintenant qu'une divinité me rejette sur ces bords, pour accroître[2] mes souffrances. Mes malheurs n'auront-ils donc jamais de fin ? Combien d'autres les dieux me réservent-ils encore ? Aie donc pitié de moi, ô reine. Tu es la première personne que je rencontre, après toutes mes épreuves. Je ne connais aucun des habitants de cette cité, de ce pays. Indique-moi le chemin de la ville ; donne-moi quelque loque[3] à mettre sur mes épaules, si tu as là une toile pour envelopper tout ce linge. Et puissent les dieux alors combler tous tes vœux[4] ! »

notes

1. embrasser ses genoux : le suppliant doit entourer les genoux et toucher le menton de celui qu'il implore.

2. accroître : augmenter.

3. loque : morceau de tissu déchiré.

4. combler tes vœux : réaliser tes désirs.

95 Nausikaa aux-bras-blancs lui fit cette réponse :
« *Étranger, tu n'as rien d'un homme méchant ou déraisonnable. C'est Zeus Olympien qui distribue la richesse aux hommes, bons ou mauvais. C'est lui certainement qui t'a réservé ce sort, et il te faut le supporter. Mais, puisque te voici arrivé dans notre pays, dans notre*
100 *cité, tu ne manqueras ni de vêtement ni de ce qu'exige un suppliant qui a tant souffert. Je vais t'indiquer le chemin de la ville, et te dire le nom de ce peuple. Cette cité, cette terre appartiennent aux Phéaciens. Moi, je suis la fille d'Alkinoos au-grand-cœur, celui qui a, sur le peuple de Phéacie, force et autorité. »*

[Nausikaa ordonne que soient posées auprès d'Ulysse une robe, une écharpe pour qu'il puisse se vêtir, la fiole d'or pour qu'il se frotte d'huile fine après le bain, et de quoi manger et boire. Puis elle lui dit de la suivre sur le chemin de la ville. Mais il devra s'arrêter dans le bois d'Athéna et lui laisser le temps d'arriver seule au palais. Quand, à son tour, il y arrivera, qu'il aille droit vers sa mère, jeter les bras autour de ses genoux en signe de supplication, s'il veut voir le jour du retour.]

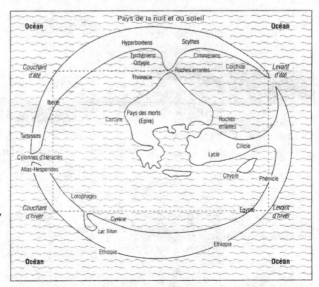

L'image du monde en Grèce archaïque. © A. Ballabriga, *Les Fictions d'Homère*, PUF, 1998.

[Jour 32 : Ulysse chez Alkinoos]

[Nausikaa rentre chez elle. Ulysse prend à son tour le chemin de la ville. Arrivé dans la cité, il est guidé vers le palais d'Alkinoos par Athéna, qui a pris l'apparence d'une toute jeune fille portant une cruche. Ulysse est émerveillé : la demeure rayonne de mille feux, semblable au Soleil et à la Lune, et le jardin, rafraîchi par deux sources, abonde en fleurs et en fruits en toute saison. Dissimulé sous la nuée qu'Athéna a versée sur lui, Ulysse pénètre dans le palais. La nuée se dissipe et il apparaît, superbe, enlaçant les genoux de la reine Arété, pour la saluer et l'implorer de l'aider à regagner sa patrie. Alkinoos lui fait servir un repas. Il invite ensuite pour le lendemain ses hôtes à une fête en l'honneur de l'étranger, et lui promet de le reconduire dans sa patrie. Tous regagnent leur logis. Mais Arété a reconnu le manteau et l'écharpe. Elle demande à Ulysse son nom et comment il a fait naufrage. Ulysse raconte alors son séjour de sept ans chez Calypso, son voyage, son naufrage, et enfin sa rencontre avec Nausikaa. Alkinoos lui propose la main de sa fille, et lui renouvelle aussi sa promesse. Ulysse le remercie et tous trois vont se reposer.]

Chant VIII

[Jour 33 : fête et jeux chez Alkinoos]

[Aussitôt qu'apparaît Aurore aux-doigts-de-rose, Alkinoos se rend au conseil pour l'informer de sa décision de ramener son hôte chez lui avec un navire de cinquante-deux rameurs. Puis tous sont conviés à un festin. Quand ils ont satisfait la soif et l'appétit, l'aède[1] aveugle Démodokos chante la querelle d'Ulysse et d'Achille, et Ulysse, l'entendant, pleure. Alkinoos s'en aperçoit et convie alors tout le monde à se mesurer aux jeux.]

Ils se dirigèrent vers l'agora, suivis par une foule nombreuse, des gens par milliers. La fleur de la jeunesse[2] accourut également pour prouver sa vaillance[3].

Elle s'essaya d'abord à la course. Une fois la borne 5 franchie, ce fut une lutte de vitesse : les coureurs volaient

---

notes

1. aède : poète qui chante ses œuvres en s'accompagnant de la cithare.

2. la fleur de la jeunesse : les meilleurs parmi les jeunes gens.

3. vaillance : courage, bravoure.

sur la plaine, tous ensemble, dans un nuage de poussière.
Mais le meilleur, de loin, fut l'irréprochable Clytonée.
Quand il rejoignit la foule, il distançait les autres coureurs
d'une longueur égale au sillon que tracent les mulets dans le
10 labour.

Ils s'essayèrent ensuite à la lutte à main nue. Dans cette dure
épreuve, c'est Euryale qui vainquit les meilleurs participants.
Au saut, la victoire revint à Amphiale ; au disque, Élatrée
réussit à se distinguer parmi tous les athlètes, mais, à la boxe,
15 ce fut Laodamas, l'excellent fils d'Alkinoos.

Quand ils eurent, avec ces jeux, contenté leur cœur,
Laodamas prit la parole :

*« Mes amis, allons demander à notre hôte s'il connaît, s'il pratique
quelque sport. Il a plutôt belle allure : voyez ses cuisses, ses jambes,*
20 *ses bras, la robustesse de son cou et l'ampleur de sa poitrine ! Il n'a
rien perdu de sa jeunesse ; ce sont en fait ses rudes épreuves qui l'ont
affaibli. Car il n'est rien de plus redoutable que la mer, croyez-moi,
pour anéantir un homme, fût-il le plus vaillant. »*

Euryale fit alors entendre cette réponse :
25 *« Voilà qui est bien parlé, Laodamas. Il ne te reste plus qu'à l'aborder et à l'inviter. »*

À ces mots, l'excellent fils d'Alkinoos s'avança au milieu de
l'arène[1] pour s'adresser à Ulysse :

« Vénérable étranger, viens, toi aussi, participer aux épreuves. Il n'est
30 *gloire plus grande que celle qu'on acquiert à la force de ses bras,
de ses pieds. Viens donc tenter ta chance, et chasse de ton cœur tout
souci : ton retour est proche désormais, puisque le navire est à flot,
et l'équipage, fin prêt. »*

---

notes

1. *arène* : espace sablé où se
déroulent les compétitions.

Voici ce que répondit Ulysse à-l'esprit-inventif :

35 « *Laodamas, pourquoi me lancer ce défi injurieux ? J'ai, dans le cœur, d'autres soucis que les jeux : après avoir tant souffert, tant peiné, je n'aspire qu'au retour, et, si je suis là, assis en cette assemblée, c'est pour implorer votre roi ainsi que tout le peuple.* »

En guise de réponse, Euryale lui adressa ces railleries[1] :

40 « *Étranger, tu sembles ignorer les jeux auxquels s'exercent les hommes. Tu as tout l'air d'un matelot qui court les mers sur son navire de commerce et surveille le trafic de ses hommes, tenant le compte du fret[2] et de la marchandise volée. Non, vraiment, tu n'as rien d'un athlète !* »

45 Ulysse à-l'esprit-inventif lui jeta un regard noir, et dit :

« *Étranger, tu parles à tort et à travers, l'orgueil te fait perdre la tête. Mais, il est vrai, les dieux n'accordent jamais au même homme toutes les qualités : beauté, intelligence et éloquence[3]. Ainsi toi, tu es d'une beauté sans pareille, les dieux ne t'auraient pas mieux conçu,* 50 *mais tu as l'esprit vide. Avec tes sottises, tu as soulevé la colère dans mon âme. Je ne suis pas novice[4] au jeu, contrairement à ce que tu prétends. J'étais dans les premiers, quand j'avais pour moi la jeunesse et la force de mes bras. Mais je suis maintenant la proie du malheur et de la souffrance. J'ai beaucoup enduré, j'ai usé mes forces* 55 *à me battre contre les hommes, à lutter contre les vagues. Mais, en dépit de mes misères, je m'essaierai aux jeux. Tes insultes m'ont mordu à vif, tu m'as trop provoqué.* »

Il dit et, sans même quitter son manteau, courut prendre un disque, beaucoup plus gros, beaucoup plus pesant que ceux 60 lancés par les Phéaciens. Il le fit tournoyer et le lança de sa main vigoureuse. Le disque fendit l'air en sifflant. Ils baissèrent la tête, épouvantés par la puissance du jet, ces Phéaciens

notes

1. railleries : moqueries.
2. fret : cargaison d'un navire.
3. éloquence : art de bien parler.
4. novice : sans expérience.

habiles-à-manier-les-rames, ce peuple d'armateurs[1]. La pierre, lancée à toute volée, dépassa les autres marques.

65 Athéna, qui avait pris les traits d'un homme, vint marquer le but atteint, et ajouta ces mots :

« *Même un aveugle, étranger, reconnaîtrait ta marque au toucher, car elle n'est pas au milieu des autres, mais loin devant. Courage donc pour cette épreuve : nul Phéacien ne surpassera, ni même n'attein-*
70 *dra ta marque.* »

Ainsi dit-elle ; et le divin Ulysse frémit de plaisir : il avait donc, en cette compétition, quelqu'un pour l'encourager ! Et, d'un cœur plus léger, il s'adressa aux Phéaciens :

« *À vous maintenant d'atteindre ce but, jeunes gens. Bientôt je lan-*
75 *cerai un autre disque, aussi loin, et même plus loin. Et si cela tente l'un de vous, qu'il vienne contre moi éprouver sa force, à la boxe, à la lutte ou à la course. Je relèverai le défi de n'importe quel Phéacien, à l'exception de Laodamas : il est mon hôte, et on ne peut se battre contre un ami. Il faut être insensé, homme de rien, pour concourir*
80 *aux jeux contre celui qui vous accueille en terre étrangère : c'est indigne. Mais, en dehors de lui, je ne dédaignerai, je ne négligerai aucun adversaire. Qu'il vienne donc soutenir mon regard, qu'il ose se mesurer à moi ! je suis loin d'être mauvais aux différents jeux que pratiquent les hommes. Mais c'est dans le maniement de l'arc*
85 *bien poli que j'excelle surtout. Quand j'ajuste mon homme dans la mêlée, ma flèche l'atteint du premier coup, même si ses compagnons d'armes, autour de lui, me criblent[2] de leurs traits[3]. Quant au jave-lot, je l'envoie aussi loin qu'un autre lance sa flèche. C'est seule-ment à la course que je crains d'être battu par un des Phéaciens : la*
90 *violence des vagues m'a terriblement affaibli, car je n'avais pas assez de provisions à bord, et je tiens à peine sur mes jambes.* »

notes

1. armateurs : propriétaires de navires.

2. criblent : percent de toutes parts.

3. traits : projectiles lancés par une arme de jet.

Ainsi dit-il, et tous demeurèrent silencieux. [...]

[La fête continue. L'aède[1] chante de nouveau, il chante l'amour d'Arès et d'Aphrodite. Puis chacun des douze rois, ainsi qu'Arété, offre à Ulysse un somptueux cadeau. Après que des servantes l'ont baigné, frotté d'huile et vêtu d'une robe et d'un beau manteau, Ulysse retourne auprès d'Alkinoos.]

Quand ils eurent apaisé leur soif et leur appétit, l'ingénieux Ulysse s'adressa à l'aède Démodokos :

95 *« Démodokos, je te tiens en grand honneur parmi les hommes. Il faut que tu aies appris ton art de la Muse, fille de Zeus, ou d'Apollon, pour avoir si bien chanté l'infortune[2] des Achéens. Mais change de sujet, chante-nous l'histoire du cheval de bois que le divin Ulysse introduisit par ruse dans l'acropole[3], avec son chargement*
100 *de soldats, pilleurs d'Ilion[4]. Si tu développes cet épisode point par point, j'irai clamer partout qu'un dieu, dans sa bienveillance, t'insuffle[5] ce chant merveilleux. »*

Ainsi dit-il ; aussitôt l'aède, inspiré par le dieu, tissa son chant. Il commença au moment où les Argiens, en rangs sur
105 leurs nefs, s'éloignaient de Troie, après avoir incendié leurs tentes. Mais, déjà, quelques-uns étaient cachés dans le cheval sur l'agora de Troie : ils étaient assemblés autour d'Ulysse, le-très-glorieux. Les Troyens eux-mêmes l'avaient tiré jusque dans leur acropole : le cheval était là, debout, et on échan-
110 geait des avis confus, assis tout autour. On hésitai entre trois solutions : allait-on, d'un coup de bronze impitoyable, fendre ce bois creux ? ou le tirer un peu plus pour le jeter du haut

---

notes

1. aède : poète qui chante ses œuvres en s'accompagnant de la cithare.

2. infortune : malheurs.

3. acropole : partie élevée d'une cité, servant de citadelle.

4. Ilion : autre nom de la ville de Troie dont le fondateur fut Ilos.

5. insuffle : inspire.

des roches ? ou bien encore le donner en offrande aux dieux afin de se les concilier[1] ? On finit par se rallier à[2] cette der-
115 nière solution, car le destin des Troyens était de périr, du jour où la ville avait admis dans ses murailles ce grand cheval de bois, chargé des meilleurs Argiens venus répandre le meurtre et la mort.

Alors l'aède chanta les Achéens jaillis du cheval, de l'embus-
120 cade creuse, pour saccager la ville et piller chacun un coin de la citadelle ; il chanta Ulysse marchant, tel Arès, sur la demeure de Déiphobe[3], en compagnie de Ménélas égal-aux-dieux : il osa là, dit-on, son plus terrible combat et dut la victoire à la généreuse Athéna.

125 Voilà ce que chantait l'illustre aède. Mais Ulysse était triste : des larmes coulaient de ses paupières sur ses joues. Il pleurait comme pleure une femme sur le corps de son mari, mort en avant des remparts, de son peuple, pour préserver du jour
130 fatal[4] sa ville et ses enfants.

À tous cependant il cacha ses larmes. Seul Alkinoos s'en aperçut, car il était assis près de lui et l'entendait sangloter.

[Alkinoos demande alors à l'aède de cesser son chant et interroge Ulysse pour qu'il dise son nom, son pays, ses aventures.]

Aède à la cithare.

---

notes

1. se les concilier : se les rendre favorables.

2. se rallier à : donner son accord à.

3. Déiphobe : fils de Priam et frère d'Hector.

4. fatal : qui apporte la mort.

Chant IX

[Soirée du jour 33 : récits d'Ulysse chez Alkinoos]

L'ingénieux Ulysse fit à Alkinoos cette réponse :

« Je ne sais par où commencer, par où finir le récit de mes aventures, car

5 *les dieux du ciel ne m'ont épargné aucune souffrance. Mais je vous dirai d'abord mon nom, ainsi vous le saurez tous et, si jamais j'échappe au jour fatal, je resterai votre hôte, bien qu'habitant loin de vous.*

» Je suis Ulysse, le fils de Laërte, dont tout le monde connaît

10 *l'esprit rusé et chante haut la gloire. J'habite une île, Ithaque, qui, malgré ses nombreux rochers, nourrit bien ses hommes, et il n'est pas de terre plus douce à mes yeux. […]*

» Écoutez maintenant l'atroce retour que me réserva Zeus depuis mon départ de Troie.

[Après son départ de Troie, Ulysse et ses hommes pillent la ville des Kikones[1], mais le lendemain, attaqués par ces derniers, six hommes

---

notes

1. Kikones : peuple de Thrace, allié des Troyens pendant la guerre de Troie.

d'équipage trouvent la mort ; les autres reprennent la mer. Trois jours plus tard, les vaisseaux, emportés au-delà du cap Malée[1], abordent le pays des Lotophages[2]. Ceux-ci font goûter du lotos aux messagers d'Ulysse, provoquant ainsi l'oubli de leur patrie. Ulysse les ramène de force aux navires, les fait enchaîner, et ils repartent.]

[Ulysse chez le Cyclope Polyphème]

» Le cœur affligé, nous reprîmes la mer. Nous arrivâmes alors au pays des Cyclopes arrogants[3]. La confiance que ces hommes sans lois portent aux dieux immortels est si grande qu'ils ne font aucune plantation,

20 aucun labour. Sans semailles, sans culture, tout pousse chez eux : blé, orge et vigne dont les grappes donnent un vin abondant grâce à la pluie de Zeus. Ils n'ont pas d'assemblée[4] pour délibérer ou rendre la justice ; ils habitent les cimes des montagnes, dans des grottes profondes, et chacun exerce sa loi sur sa femme et ses enfants, sans se

25 soucier des autres [...]. Il n'y a pas, au pays des Cyclopes, de vaisseaux couleur-de-vermillon[5]. On n'y trouve aucun charpentier sachant construire une flotte au-bon-tirant-d'eau[6], si utile pour aller de ville en ville échanger des marchandises au-delà des mers. [...]

» Quand nous fûmes plus près du rivage, nous aperçûmes, enfouie

30 sous une voûte de lauriers, une grotte sur un promontoire[7] dominant la mer. De nombreux troupeaux de chèvres et de moutons étaient

notes

1. cap Malée : cap situé au sud du Péloponnèse.

2. Lotophages : mangeurs de lotos, fruit merveilleux qui ressemble à une datte et qui procure l'oubli à ceux qui le mangent.

3. arrogants : orgueilleux et méprisants.

4. ils n'ont pas d'assemblée : ils ne se réunissent pas pour discuter et prendre des décisions communes.

5. vermillon : d'un rouge vif.

6. au-bon-tirant-d'eau : partie du bateau qui est sous l'eau et qui lui donne son équilibre.

7. promontoire : rocher élevé qui s'avance au-dessus de la mer.

parqués là. Et il y avait, autour de l'enclos, une palissade faite de rocs fichés[1] en terre, de longs fûts[2] de pins et de chênes feuillus.

» Un homme monstrueux vivait là. Seul, il menait paître au loin
35 ses moutons. Il ne fréquentait personne, mais restait à l'écart, sans se soucier des lois. Quel monstre abominable ! Il ne ressemblait pas à un mangeur de pain, mais plutôt au sommet boisé d'une haute montagne.

» En débarquant, j'ordonnai à mon fidèle équipage de rester près du
40 navire pour le surveiller. Puis je me mis en route avec douze de mes meilleurs compagnons. J'avais emporté une outre[3] en peau de chèvre, remplie d'un vin noir très agréable. C'était un vin des plus purs, une boisson digne des dieux. En mélangeant vingt mesures d'eau à une coupe de ce vin, on obtenait un vin rouge doux-comme-le-miel, et
45 du cratère[4] montait une odeur divine, d'une irrésistible douceur.

» Nous atteignîmes rapidement l'antre[5], mais le Cyclope n'y était pas : il était parti faire paître ses gras troupeaux. Une fois à l'intérieur, nous examinâmes tout : les claies[6] ployaient[7] sous le poids des fromages et les stalles[8] étaient pleines d'agneaux et de chevreaux.
50 Les bêtes étaient réparties par groupes : les petits d'un côté, les plus grands d'un autre et les plus vieux d'un autre encore. Toutes les jattes[9] débordaient de petit-lait[10]. [...]

» En l'attendant, nous prîmes des fromages et les mangeâmes, assis dans l'antre. Quand le Cyclope rentra du pâturage, il portait un
55 lourd fardeau de bois sec qui lui servirait à préparer son repas : il le jeta bruyamment à l'intérieur et nous reculâmes, effrayés, au fond de

notes

1. fichés : plantés.

2. fûts : troncs d'arbres bien lisses.

3. outre : sac en peau de bouc pour transporter les liquides.

4. cratère : grand vase à deux anses dans lequel on mélangeait l'eau et le vin.

5. antre : caverne qui sert d'abri aux bêtes sauvages.

6. claies : treillages ajourés servant d'étagères.

7. ployaient : se courbaient.

8. stalles : emplacements pour les animaux.

9. jattes : larges vases sans rebord pour recueillir le lait.

10. petit-lait : liquide qui s'égoutte du lait en train de cailler.

l'antre. Il poussa dans la vaste caverne toutes les grasses brebis qu'il voulait traire, laissant les mâles, boucs et béliers, près de la porte, dans un profond enclos. Puis il souleva un immense bloc de pierre avec
60 *lequel il ferma l'entrée. Cette pierre était si lourde que vingt-deux solides chars à quatre roues n'auraient pu la lever du sol !*

» Il s'assit, se mit à traire ses brebis et ses chèvres bêlantes, en bon ordre, et plaça sous chaque mère un nouveau-né. Puis il recueillit dans des corbeilles tressées la moitié du lait blanc qu'il avait fait
65 *cailler. L'autre moitié, il la versa dans des jattes, pour la boire pendant son repas et quand il aurait soif.*

» Il eut vite fait d'achever sa besogne. Il alluma alors un feu, nous aperçut et nous demanda :

"Étrangers, qui êtes-vous ? D'où venez-vous sur les routes
70 humides ? Naviguez-vous pour quelque négoce, ou bien allez-vous à l'aventure, tels des pirates qui, au péril de leur vie, vont porter le malheur en terre étrangère ?"

» Il dit ; notre cœur frissonna d'épouvante devant la puissance de sa voix et l'immensité de sa taille. Je lui répondis cependant :

75 "Nous sommes des Achéens venant de Troie. Les vents nous ont égarés sur le gouffre de la mer, alors que nous voulions rentrer chez nous. Nous sommes fiers d'être des soldats de l'atride Agamemnon, dont la gloire s'élève jusqu'au ciel, depuis qu'il a renversé une ville superbe et tué d'innom-
80 brables ennemis. Mais, à genoux, nous te supplions de nous accueillir et de nous offrir un présent, comme le veut la loi de l'hospitalité. Crains les dieux, ô notre ami, car nous sommes tes suppliants, et Zeus protège les suppliants et les étrangers."

85 *» Je dis ; mais ce cœur cruel me répondit :*

"Es-tu sot, étranger, ou viens-tu de si loin, pour m'inciter à craindre les dieux et à éviter leur colère ? Les Cyclopes n'ont nul souci de Zeus qui-tient-l'égide, ni des dieux bienheureux, car nous sommes bien plus forts qu'eux. [...]"

90 » *Il bondit alors sur mes compagnons, en saisit deux entre ses mains et les précipita contre le sol, comme des petits chiens. Leur cervelle, en s'écrasant, éclaboussa la terre. Puis il les découpa en morceaux, pour en faire son souper. Il les mangea, tel un lion des montagnes, sans rien laisser : ni les entrailles, ni les chairs, ni les os remplis de*

95 *moelle. Nous autres, épouvantés et impuissants devant tant d'horreurs, pleurions en implorant Zeus.*

» *Quand le Cyclope eut rempli son énorme panse[1] de chair humaine et de lait pur, il s'allongea dans son antre au milieu de ses bêtes. Moi, je réfléchissais, rassemblant mon courage. Allais-je me*

100 *jeter sur lui, dégainer mon épée aiguisée et le frapper au ventre, à la jonction du diaphragme et du foie, après avoir tâté l'endroit de ma main ? Mais une pensée me retint. Nous allions trouver là une mort atroce, car nos bras seraient incapables de dégager le lourd rocher placé par le Cyclope devant la haute entrée !*

105 » *En gémissant, nous attendîmes donc l'aurore divine. Et quand parut Aurore aux-doigts-de-rose, fille du matin, le Cyclope alluma un feu, se mit à traire ses bêtes, en bon ordre, et plaça les nouveau-nés sous leur mère. Il eut vite fait d'achever la besogne ; mais ensuite, il saisit deux de mes compagnons et les dévora ! Une fois repu[2],*

110 *il fit sortir ses gras troupeaux de son antre : il n'avait eu aucun mal à pousser l'immense porte d'entrée et l'avait aussitôt replacée, sans plus d'effort que s'il avait remis le couvercle d'un carquois[3]. Le Cyclope alors dirigea en sifflant ses gras troupeaux vers la montagne. Moi, je restais là, à méditer comment provoquer son malheur ; et*

115 *voici le plan qu'en mon esprit je jugeai le meilleur.*

» *Il y avait là, contre l'enclos, la grande massue du Cyclope : c'était un tronc d'olivier encore vert qu'il utiliserait une fois sec. À la voir, on aurait dit le mât d'un noir vaisseau à vingt rameurs, d'un de ces*

---

notes

1. panse : large ventre d'un animal.

2. repu : qui a satisfait sa faim.

3. carquois : boîte où sont rangées les flèches.

navires marchands qui franchissent le gouffre de la mer. Elle avait,
120 à nos yeux, même longueur et même épaisseur. Je m'approchai pour
en couper la valeur d'une brasse[1] et la passai à mes compagnons
pour qu'ils l'équarrissent[2]. Quand ils l'eurent polie, je vins en
aiguiser la pointe ; je la fis aussitôt durcir sur des braises ardentes
et la cachai sous l'énorme tas de fumier qui gisait[3] épars[4] dans la
125 vaste caverne. Puis je fis tirer au sort ceux de mes compagnons
qui auraient assez d'audace pour soulever avec moi ce pieu[5] et
l'enfoncer dans l'œil du Cyclope, une fois que le doux sommeil se
serait emparé de lui. Le sort désigna ceux que j'aurais moi-même
choisis : ils étaient quatre, et je me joignis à eux comme cinquième.
130 » Le soir, le Cyclope revint avec ses troupeaux à-l'épaisse-toison. Il
poussa toutes ses bêtes dans la vaste caverne, sans en laisser une seule
dans le creux de la cour : était-ce la méfiance ou bien un dieu qui le
faisait agir ainsi ? Après avoir placé l'énorme rocher devant l'entrée,
il s'assit, se mit à traire ses brebis et ses chèvres bêlantes, en bon
135 ordre, puis plaça les nouveau-nés sous leur mère. Il eut vite fait
d'achever la besogne ; mais il saisit ensuite deux de mes compagnons
et en fit son souper. À ce moment, je m'approchai de lui, les mains
chargées d'une coupe de vin noir :
"Bois donc ce vin, Cyclope, pour mieux digérer toutes ces
140 chairs humaines. Tu sauras ainsi quelle boisson renfermait
notre navire. Je te l'aurais offert en libation, si tu avais eu pitié
de moi et favorisé mon retour. Mais ta folie dépasse les
bornes, malheureux ! Qui pourra désormais venir chez toi,
quand on saura comment tu t'es conduit ?"
145 » À ces mots, il prit la coupe de vin et la vida d'un trait. Le doux
breuvage lui plut tellement qu'il en réclama :

notes

1. brasse : longueur de deux bras mis à l'horizontale, environ 1 m 60.

2. équarrissent : rabotent, rendent plate et lisse.

3. gisait : était répandu.

4. épars : dispersé, éparpillé.

5. pieu : pièce de bois droite dont un des bouts est pointu.

"Sois gentil, donne-m'en encore, et puis dis-moi ton nom : je te ferai plaisir en t'offrant un cadeau d'hospitalité. La vigne qui pousse sur la terre à blé des Cyclopes produit de belles grappes de raisin, grossies par la pluie de Zeus ; mais ça, c'est un extrait d'ambroisie[1], un pur nectar[2] !"

» À ces mots, je lui versai une nouvelle rasade[3] de mon vin couleur-de-feu. Trois fois je lui en offris, trois fois il le but goulûment[4], le pauvre fou ! Mais dès que le vin eut troublé son esprit, je lui tins ce discours enrobé de miel :

"Cyclope, puisque tu veux savoir mon nom illustre, je vais te le dire ; mais toi, donne-moi un cadeau d'hospitalité, comme tu me l'as promis. Mon nom est Personne[5]. Personne, oui, c'est ainsi que m'appellent ma mère, mon père ainsi que tous mes amis."

» Je dis ; et ce cœur impitoyable me répondit :

"Eh bien, je mangerai Personne en dernier, après tous ses compagnons : les autres passeront avant toi, voilà ce que j'ai à t'offrir."

» Puis il chancela et tomba à la renverse ; son cou énorme s'inclina, et le sommeil le terrassa. Son gosier vomissait du vin et des morceaux de chair humaine. Et il rotait, l'infâme ivrogne ! Aussitôt, je saisis le pieu et le mis à chauffer sous le tas de cendres, tout en rassurant mes compagnons, de peur qu'ils ne cèdent à la panique et ne m'abandonnent.

» Quand le pieu d'olivier fut sur le point de brûler — le bois, quoique vert, lançait déjà des flammes —, je le retirai du feu. Mes compagnons firent cercle autour de moi : une divinité leur avait insufflé un grand courage, si bien qu'ils saisirent le pieu aiguisé par le bout et

---

notes

1. ambroisie : nourriture des dieux.

2. nectar : boisson des dieux.

3. rasade : quantité de boisson servie à ras bord.

4. goulûment : avec avidité.

5. Personne : en grec, *outis*, mot à rapprocher de *métis*, la ruse. Ulysse joue sur les mots.

175 *l'enfoncèrent dans l'œil du Cyclope. Moi, je pesais dessus de tout*
mon poids et le faisais tourner, comme on perce la poutre d'un navire
avec une tarière[1]. *Ils tournaient et retournaient le pieu rougi au feu*
dans l'œil du Cyclope. Le sang giclait autour du bois brûlant. Jaillie
de sa prunelle en feu, la vapeur faisait griller ses paupières et ses
180 *sourcils : son œil grésillait*[2] *jusqu'à la racine.*

» *Il hurla comme une bête fauve : les roches alentour retentirent.*
Épouvantés, nous avions reculé au fond de la caverne, tandis qu'il
arrachait de son œil le pieu trempé de sang, et qu'il le rejetait au
loin, d'un geste affolé.

185 » *À grands cris il appela les Cyclopes qui habitaient dans les grottes*
des alentours, sur les cimes battues des vents. Ameutés par ces cris,
ceux-ci accoururent de tous côtés et, restés à l'extérieur de la caverne,
lui demandèrent quel était son mal :

"Pourquoi donc, Polyphème, pousses-tu ces hurlements de
190 douleur dans la nuit divine ? Pourquoi troubles-tu ainsi
notre sommeil ? Chercherait-on à voler ton troupeau ?
Chercherait-on à porter atteinte à ta personne par la force
ou la ruse ?"

» *Du fond de son antre, le puissant Polyphème leur répondit :*

195 "C'est par la ruse, et non par la force, qu'on veut me tuer,
mes amis, et c'est l'œuvre de Personne."

» *Ceux-ci lui adressèrent alors ces mots ailés :*

"Si tu es seul et que personne ne te fait violence, nous ne
pouvons rien contre la maladie que t'envoie le grand Zeus.
200 Adresse plutôt tes prières à Poséidon, ton père souverain."

» *Sur ces mots, ils s'éloignèrent ; et moi je riais en moi-même : ce*
nom de Personne et ma personne avisée les avaient bien trompés !

» *Avec des gémissements et des cris de douleur, le Cyclope vint*

notes

1. tarière : instrument
qui sert à percer le bois.

2. grésillait : crépitait sous
l'action de la chaleur.

à tâtons[1] pousser le rocher qui servait de porte. Il s'assit en travers
205 de l'entrée, et étendit ses bras pour happer[2] celui d'entre nous qui
s'aviserait de sortir dans le flot du troupeau : il me croyait assez stu-
pide pour m'y risquer !

» De mon côté, je réfléchissais au meilleur moyen de nous sauver de
la mort, mes compagnons et moi-même. J'envisageais toutes les
210 ruses, toutes les possibilités : il y allait de notre vie, et un sort horrible nous attendait ! Et voici le plan qu'en mon esprit je jugeai le
meilleur. Il y avait là des béliers bien nourris, pourvus d'une épaisse
toison. Sans faire de bruit, je les attachai trois par trois avec les tresses
d'osier qui servaient de paillasse au Cyclope, ce monstre sans jus-
215 tice. Le bélier du milieu portait un de mes hommes, et les deux
autres, placés de chaque côté, assuraient son salut. Il y avait donc
trois béliers pour chacun de mes hommes. Quant à moi, je me
réservai le plus fort bélier du troupeau. L'ayant saisi par les reins, je
me glissai sous son ventre, et demeurai suspendu là, caché dans sa
220 toison[3]. Je me cramponnai à sa laine merveilleuse, avec toute la force
de mes mains, avec toute l'énergie de mon âme.

» Quand parut Aurore aux-doigts-de-rose, fille du matin, les béliers
bondirent vers les pâturages. Les femelles, que le Cyclope n'avait pas
traites et dont les pis étaient gonflés, bêlaient dans des stalles. Le
225 maître du troupeau, tout en souffrant atrocement, tâtait le dos de
toutes ses bêtes qui se tenaient bien droites. Quel sot ! il n'avait pas
idée que mes hommes puissent être attachés sous la toison de ses
moutons ! Mon bélier, alourdi par le poids de sa laine et de ma personne fort rusée, fut le dernier à sortir.

230 » Comme il passait sa main sur son dos, le puissant Polyphème
lui dit :

"Doux bélier, pourquoi donc sors-tu de l'antre après tous les

notes

1. à tâtons : en touchant
avec les mains.

2. happer : saisir vivement.

3. toison : laine des moutons.

autres ? Habituellement, tu ne traînes jamais : tu es toujours le premier à gambader vers les tendres herbes des pâturages,
235 le premier à t'abreuver dans le cours des rivières, le premier aussi à vouloir rentrer à l'étable, le soir. Et te voilà maintenant le dernier ! Souffres-tu pour ton maître, qu'un scélérat et ses misérables compagnons ont enivré afin de le rendre aveugle ? Mais ce Personne, crois-moi, n'échappera pas à la
240 mort. Ah ! si tu devinais mes pensées, si tu pouvais parler, tu me dirais où il a fui ma fureur ! Je lui écraserais la tête contre le sol, sa cervelle giclerait partout dans mon antre, et cela me soulagerait des souffrances que m'inflige ce scélérat[1] de Personne !"

245 » À ces mots, il poussa dehors le bélier.

» Quand nous fûmes à quelque distance de l'antre et de la cour, je me dégageai le premier de dessous le bélier, puis détachai mes compagnons. Avec force détours, nous poussâmes jusqu'au navire les gras moutons à-la-démarche-trottinante. Quelle joie pour nos compagnons de nous revoir sains et saufs ! mais quels pleurs aussi sur nos autres malheureux compagnons !

[Ulysse et ses compagnons poussent les brebis dans le navire et sautent à bord. Pendant que la rame bat le flot qui blanchit sous les coups, Ulysse se moque du Cyclope et plein d'audace lui dévoile son nom. Aussitôt, Polyphème lui lance d'énormes rochers, puis invoque son père Poséidon pour qu'Ulysse perde tous ses navires et tous ses compagnons, et que de retour à Ithaque, de nouveaux malheurs s'abattent sur lui.]

notes
1. *scélérat :* criminel.

Deux faces d'un vase grec du vᵉ siècle av. J.-C. : l'histoire d'Ulysse et du Cyclope. Musée du Louvre.

Au fil du texte

QUE S'EST-IL PASSÉ ENTRE-TEMPS ?

1. Au chant VI, quel personnage vient en aide à Ulysse et quelle impression produit-il ?

2. Au chant VII, qui conduit Ulysse au palais d'Alkinoos et sous quelle apparence ?

3. Que promet Alkinoos à Ulysse ?

4. Quelle épreuve passée Ulysse raconte-t-il à ses hôtes ?

5. Qui se charge, au chant VIII, de raconter une autre aventure d'Ulysse et quelle est la réaction d'Ulysse à ce récit ?

6. À quelle époque nous ramènent les récits d'Ulysse au chant IX ? Nommez le procédé employé.

AVEZ-VOUS BIEN LU ?

7. Où demeure le Cyclope ? Donnez des indications précises.

8. Quelles sont ses occupations habituelles ?

9. Quelles sont les réactions d'Ulysse et de ses compagnons pendant que le Cyclope dévore deux d'entre eux ? Se comportent-ils en héros ?

10. Quelles décisions successives prend Ulysse face aux dangers ? De quelles qualités sont-elles la preuve ?

11. Qui est le père de Polyphème ? Est-ce important pour Ulysse ?

12. Combien de temps Ulysse passe-t-il dans la grotte ? Notez les indications temporelles.

13. Qu'est-ce qui va provoquer les malheurs à venir d'Ulysse ?

14. À travers la présentation des Cyclopes, Homère nous décrit ce qu'est, pour lui, le contraire d'un peuple civilisé. Retrouvez les principales caractéristiques d'un peuple civilisé selon Homère.

champ lexical : ensemble des mots qui se rapportent à une notion donnée.

ÉTUDIER LE VOCABULAIRE ET LA GRAMMAIRE

15. Relevez les mots appartenant au champ lexical★ du feu et regroupez-les en nommant leur classe grammaticale.

ÉTUDIER LE GENRE

16. Réalisme et merveilleux : à quoi voit-on que le Cyclope est un géant ?

17. De quel personnage de conte peut-on rapprocher le Cyclope ? À quelle force naturelle peut-on aussi le comparer ?

À VOS PLUMES !

18. Le Cyclope est comparé successivement à un élément de la nature et à deux animaux. Retrouvez ces comparaisons. À quoi servent-elles ?

19. Dans l'expression, « *discours enrobé de miel* », un mot concret, « *miel* », vient compléter un mot abstrait, « *discours* ».
Expliquez le sens de cette expression, puis inventez-en une autre sur le même modèle.

Chant X

[Nuit du jour 33 : Ulysse chez Éole]

[Ulysse gagne l'île du dieu Éole qui le reçoit avec bienveillance pendant un mois. Pour aider son retour, il enferme dans un sac les vents dont il est le maître et les attache au navire. Seul le Zéphyr est chargé de pousser le bateau. Au bout de neuf jours, en vue des côtes d'Ithaque, l'équipage, à l'insu d'Ulysse, ouvre le sac et les vents repoussent la flotte vers Éolie. Éole renvoie sèchement Ulysse. Six jours plus tard, il aborde le pays des Lestrygons. Ses éclaireurs sont poursuivis par des géants mangeurs d'hommes qui tuent les marins et fracassent, à coups de pierres, la flotte presque entière. Le navire d'Ulysse, seul, échappe au massacre.]

[Ulysse chez Circé] » *Nous parvînmes alors à l'île d'Aiaié, où demeure Circé aux-belles-boucles, la redoutable déesse à-voix-humaine. Circé est la sœur du perfide[1] Aiétès[2]. Tous deux doivent le jour à Hélios, qui éclaire*
5 *les hommes, et à Persé, une nymphe Océanide.*

[Trois jours plus tard, après avoir restauré les forces de son équipage en tuant un cerf, Ulysse envoie en exploration un détachement de vingt-deux hommes commandé par Euryloque.]

» *Ils trouvèrent, isolée au fond d'un vallon, la demeure de Circé, bâtie en pierres lisses. Autour erraient[3] des lions et des loups des montagnes : c'étaient des hommes que Circé avait ensorcelés avec ses drogues[4] abominables. Ils n'agressèrent pas mes compagnons, mais*
10 *vinrent au contraire se frotter doucement contre eux en remuant leur longue queue.*
» *Circé chantait à l'intérieur, et sa voix magnifique dominait le bruit du métier sur lequel elle tissait une grande toile, où l'on reconnaissait la finesse, la grâce et l'éclat des ouvrages des déesses.*
15 » *À l'appel de mes hommes, Circé accourut aussitôt leur ouvrir ses portes brillantes. Elle les invita, et tous la suivirent. Quels imprudents ! Seul Euryloque refusa d'entrer : il flairait un piège. Elle les fit s'installer sur des sièges et des fauteuils ; puis, ayant pris du vin de Pramnos, elle y mélangea du fromage, de la farine et du miel clair*
20 *auxquels elle ajouta une drogue funeste, afin qu'ils oublient à tout jamais leur patrie.*
» *Elle leur tendit le breuvage, qu'ils burent avidement. Aussitôt elle leur donna un coup de baguette, et ils se retrouvèrent enfermés dans*

---

notes

1. perfide : trompeur.

2. Aiétès : roi de Colchide, père de la terrible magicienne Médée.

3. erraient : allaient sans but.

4. drogues : poisons.

des étables à cochons ! Ils avaient des têtes, des grognements et des
25 *soies*[1] *de cochons ; ils en avaient pris l'aspect, mais conservaient*
intact leur esprit de, mortel.

» Ils étaient bouclés là, pleurant toutes leurs larmes. Et Circé leur
jetait en pâture[2] *des glands, des faînes et des cornouilles*[3], *tout ce*
qu'on donne à manger aux cochons, vautrés[4] *à même le sol.*
30 *» Euryloque s'empressa alors de regagner le noir vaisseau, désirant*
nous informer du triste sort réservé à nos compagnons.

[Euryloque fait son rapport. Ulysse prend son glaive, son arc et s'élance
chez Circé.]

» Au moment où j'allais atteindre la demeure de Circé l'enchan-
teresse[5], *je rencontrai Hermès à-la-baguette-d'or qui avait pris les*
traits d'un jeune homme.
35 *» M'ayant saisi la main, il me dit ces paroles :*
"Où vas-tu, malheureux, seul parmi ces collines ? Chez
Circé ? délivrer tes hommes qu'elle a transformés en
cochons et parqués au fond d'étables bien closes ? Mais
allons, je veux te sauver du danger. Tiens, avec cette herbe
40 *de vie, tu peux aller chez Circé : sa vertu*[6] *te préservera du*
jour fatal. Écoute bien mes conseils : quand la déesse t'aura
frappé avec sa longue baguette, dégaine l'épée aiguisée qui
pend le long de ta cuisse, et précipite-toi sur Circé, comme
si tu allais la tuer. Épouvantée, elle t'invitera à partager son
45 *lit. Ne refuse pas, car elle seule peut délivrer tes compagnons*

---

notes

1. soies : poils du porc et
du sanglier.

2. en pâture : comme
nourriture.

**3. glands, faînes,
cornouilles :** fruits du chêne,
du hêtre et du cornouiller.

4. vautrés : couchés sur
le sol dans une position
abandonnée.

5. enchanteresse :
magicienne.

6. sa vertu : son pouvoir.

et te ramener chez toi ; mais fais-lui auparavant prêter le grand serment des dieux[1] qu'elle ne cherchera plus à te faire de mal."

» *À ces mots, l'éblouissant messager me donna une herbe qu'il avait arrachée du sol [...], puis regagna les sommets de l'Olympe.*

» *L'esprit inquiet, je gagnai alors la demeure de Circé. Je m'arrêtai sous le porche de la déesse aux-belles-boucles, et criai pour l'appeler.*

» *Aussitôt Circé accourut m'ouvrir ses portes brillantes. Elle m'invita, et je la suivis. Quel effroi[2] dans mon cœur ! Elle me fit installer sur un fauteuil orné de clous d'argent. Puis elle prépara, dans une coupe en or, le mélange que je devais boire et, tramant[3] son affreux dessein[4], y ajouta une drogue.*

» *Elle me tendit le breuvage, que je bus avidement, mais il n'avait sur moi aucun pouvoir. Elle me frappa alors de sa baguette, ajoutant ces mots :*

"Va dans l'étable à cochons, va rejoindre tes compagnons !"

» *Elle dit ; mais moi je dégaine le glaive[5] aiguisé qui pendait le long de ma cuisse, et me précipite sur Circé, comme si j'allais la tuer. Elle pousse alors un grand cri, et tombe à mes genoux. Suppliante, elle m'adresse ces paroles ailées :*

"Quel prodige[6] ! Tu as bu et tu n'es pas ensorcelé ! Avant toi, je n'ai vu aucun homme résister à ce breuvage, après y avoir trempé ses lèvres ! C'est donc toi Ulysse, l'homme à-l'esprit-inventif ? Hermès à-la-baguette-d'or m'avait prévenue que tu viendrais ici, porté par ton noir vaisseau, à ton retour de Troie. [...] Mais allons ! rengaine ton épée, et viens dormir à mes côtés."

---

notes

1. grand serment des dieux : le dieu qui ne le respecte pas est privé de souffle pour un an, et de festin pour neuf ans.

2. effroi : grande peur.
3. tramant : combinant.
4. dessein : projet.

5. glaive : courte épée à deux tranchants.
6. prodige : événement extraordinaire.

» *Mais moi, je ne montai sur le lit magnifique de la déesse qu'après lui avoir fait jurer le grand serment. [...]*

75 » *Plus tard, après m'avoir baigné et enduit d'huile fine, Circé me revêtit d'une tunique et d'un beau manteau. Elle m'installa alors sur un fauteuil orné de clous d'argent, magnifiquement ouvragé, puis m'invita à manger. Mais je n'en avais nulle envie, et lui dis :*

"Si tu désires vraiment que je boive et que je mange, alors 80 délivre mes fidèles compagnons, je veux les revoir."

» *À ces mots, Circé prend sa baguette, traverse la grande salle et va ouvrir les étables. Elle en fait sortir mes compagnons, aussi gras que des cochons de neuf ans. Ils se dressent sur leurs pattes, face à Circé, qui va de l'un à l'autre, les enduisant d'une autre drogue. Je les vois* 85 *alors perdre les soies qu'avait fait pousser le funeste breuvage offert par la déesse. Et les voici redevenus des hommes, mais plus jeunes, plus beaux et plus grands qu'avant ! Ils me reconnaissent : nous nous serrons les mains, et nos cris de joie sont entrecoupés de sanglots. Quel terrible vacarme dans la maison de Circé ! Mais la* 90 *déesse elle aussi était émue. [...]*

» *Une année entière, nous restâmes là, assis en des banquets où nous nous régalions de viande et de doux vin. Mais, quand l'année arriva à son terme, et que revint le printemps, mes fidèles compagnons me dirent :*

95 "Malheureux, c'est l'heure maintenant de songer à ta patrie, si les dieux t'accordent le salut[1] et le retour dans ta haute demeure, sur ta terre natale."

» *Ils dirent, et mon cœur vaillant se laissa persuader. je montai alors dans le lit magnifique de Circé, et la suppliai à genoux. La déesse* 100 *écouta mes paroles :*

"Circé, accomplis la promesse que tu m'avais faite, laisse-moi rentrer chez moi. J'y aspire[2] de tout mon cœur, ainsi que

notes

1. le salut : la vie sauve.   **2. j'y aspire :** je le souhaite.

mes compagnons, qui m'assaillent[1] de leurs plaintes et de leurs larmes, dès que tu t'es éloignée."

105 *» Je dis ; aussitôt la-toute-divine me répondit :*

"Fils de Laërte, Ulysse l'avisé[2], je ne veux pas que vous restiez chez moi contre votre gré[3]. Mais il vous faut d'abord prendre une autre route et gagner la demeure d'Hadès et de la terrible Perséphone, afin d'y consulter l'âme du
110 Thébain Tirésias. Ce devin[4] aveugle a conservé toute sa sagesse : il est le seul à qui Perséphone ait permis de garder dans la mort tout son sens ; les autres ne sont plus qu'un vol d'ombres."

[Circé indique à Ulysse le séjour d'Hadès, sur les bords de l'Océan. Il devra faire un sacrifice pour attirer l'ombre de Tirésias et apprendre de lui le chemin du retour.]

Circé
(Liliana Conçalves)
et Ulysse
(Stéphane Gallet)
(Cie Ecla Théâtre,
1998).

notes

1. **qui m'assaillent :** qui m'accablent.

2. **avisé :** qui réfléchit avant d'agir.

3. **contre votre gré :** contre votre volonté.

4. **devin :** personne qui a le don de prévoir l'avenir.

Au fil du texte

Questions sur le chant X, Ulysse chez Circé (pages 67 à 72)

QUE S'EST-IL PASSÉ ENTRE-TEMPS ?

1. Quelle aide Éole a-t-il apportée à Ulysse ?

2. Pourquoi, malgré l'aide d'Éole, Ulysse et ses compagnons n'ont-ils pas atteint l'île d'Ithaque ?

3. Après cette mésaventure, combien reste-t-il de bateaux à Ulysse ?

AVEZ-VOUS BIEN LU ?

4. En quoi Circé a-t-elle transformé les hommes qui ont abordé dans son île, ainsi que les compagnons d'Ulysse ?

5. Tous les compagnons d'Ulysse sont-ils transformés ? Pourquoi ?

6. Quelles sont les ressources magiques de Circé et quels sont leurs effets ?

7. Avec quels moyens Ulysse lutte-t-il contre Circé ?

8. Quelle image le lecteur garde-t-il de Circé après sa soumission à Ulysse ? Justifiez votre réponse.

9. De quelle qualité Ulysse fait-il preuve lignes 77 à 79 ?

10. Combien de temps Ulysse reste-t-il chez Circé ?

11. Que doit faire Ulysse avant de regagner Ithaque ?

12. Donnez le nom et la fonction des deux personnages de l'*Odyssée* qui sont aveugles. Quel est leur point commun ?

ÉTUDIER LA GRAMMAIRE

13. Trouvez les différents épisodes de cette aventure en relevant les connecteurs temporels★. Donnez leur classe grammaticale.

ÉTUDIER LE DISCOURS

14. Qui fait ce récit ? À qui est-il fait ? Dans quel lieu ? Quand ? Quand cette aventure s'est-elle passée ? Vous pourrez vous aider du schéma narratif, page 136.

ÉTUDIER LE GENRE

15. Le merveilleux : quels détails font ressembler les hommes à des bêtes ?

16. Quels indices permettent néanmoins de reconnaître des hommes en eux ?

17. Que peuvent bien signifier ces métamorphoses ?

18. Cherchez dans des contes des magiciennes ou des êtres malfaisants qui savent transformer des êtres humains en animaux, ou l'inverse. Donnez leurs noms, les titres des contes et les noms de leurs auteurs. Puis répondez aux questions suivantes :

Qui est transformé ?	En quoi ?	Par qui ? Avec quels moyens ?	Pourquoi ?	Comment peut-il retrouver son apparence première ?
. . . .	. . . .	. . . .	. . . .	. . . .

ÉTUDIER LA PLACE DE L'EXTRAIT DANS L'ŒUVRE

19. Rapprochez l'aventure chez Circé de celle chez Calypso. Comparez les lieux, les personnages et l'attitude du héros.

connecteur temporel : mot, expression ou membre de phrase assurant un lien chronologique entre les étapes d'un récit.

Chant XI

[Nuit du jour 33 : descente aux Enfers]

[L'équipage d'Ulysse, affligé par la destination que ce dernier lui assigne, embarque avec un agneau et une brebis pour le sacrifice. Le vent pousse le navire vers le pays des morts.]

» *Tout le jour nous voguâmes à pleines voiles. Au Soleil couchant, à l'heure où l'ombre emplit les rues, notre navire toucha aux confins[1] de l'Océan. Là se trouvent le peuple et la cité des Morts, noyés dans de profondes ténèbres[2], car jamais le Soleil*
5 *n'y dirige son lumineux regard.*

» *Nous tirâmes notre vaisseau au bord, déchargeâmes les bêtes, puis longeâmes le cours de l'Océan jusqu'à l'endroit indiqué par Circé. Je saisis alors mon épée et creusai une fosse large d'une coudée[3] environ. Tout autour, je versai une libation aux morts,*
10 *avec du lait mêlé de miel d'abord, puis du vin doux et de l'eau*

---

notes

1. aux confins : aux extrémités.

2. ténèbres : obscurité.

3. coudée : longueur d'environ cinquante centimètres.

pure pour finir. Je répandis ensuite de la farine blanche sur la fosse et invoquai tous les morts, leur promettant, à mon retour en Ithaque, de leur sacrifier la plus belle de mes génisses, sur un bûcher rempli d'offrandes. La prière finie, je saisis les bêtes et les égorgeai sur la

15 *fosse : le sang noir coula à flots et, du fond de l'Érèbe[1], les âmes des morts affluèrent[2]. Mais, avec mon épée, j'empêchai ces fantômes sans force d'approcher du sang, car je voulais d'abord interroger Tirésias.*

» Bientôt je le vis venir, portant un sceptre[3] d'or. L'âme de Tirésias le Thébain me reconnut et me dit :

20 "Pourquoi donc, malheureux, as-tu quitté la lumière du Soleil ? Pourquoi es-tu descendu chez les morts, en ce pays sans joie ? Mais, si tu veux que je te dise la vérité, éloigne-toi de la fosse, écarte ton épée aiguisée et laisse-moi boire le sang."

25 *» À ces mots, je reculai et remis au fourreau[4] mon épée à-clous-d'argent. Après avoir bu le sang noir, l'irréprochable[5] devin m'adressa ces paroles :*

"Tu désires le retour doux-comme-le-miel, noble Ulysse, mais un dieu, hélas, va te le rendre amer. Car je ne crois pas

30 que l'Ébranleur-du-sol oublie sa rancune contre toi : depuis que tu as rendu son fils aveugle, il te voue[6] une haine farouche. Il se peut cependant que vous rentriez, au terme de vos épreuves, si tu réussis à te maîtriser et à maîtriser tes compagnons quand ton navire bien charpenté, te sauvant du

35 gouffre de la mer, t'aura conduit à l'île du Trident[7]. Vous trouverez là, aux pâturages, les bœufs et les gras troupeaux du Soleil, le dieu qui voit et entend tout. Surtout n'y touchez pas, songez seulement au retour, et vous pourrez alors

---

notes

1. l'Érèbe : les ténèbres des Enfers.

2. affluèrent : arrivèrent en grand nombre.

3. sceptre : bâton que portent les prêtres et les devins.

4. fourreau : étui dans lequel on range l'épée.

5. irréprochable : sans défaut.

6. il te voue : il te porte.

7. l'île du Trident : île aux trois promontoires. Est-ce la Sicile ?

rentrer à Ithaque, au terme de vos épreuves. Mais si vous y
40 touchez, je peux te prédire la perte de ton navire et de
tes hommes. Tu en réchapperas, mais ton retour sera long et
difficile : tu perdras tous tes compagnons, et devras utiliser
un navire étranger. Et puis, dans ta maison, tu trouveras le
malheur : des hommes arrogants qui dévorent tes biens et
45 courtisent ta femme avec des présents. Mais tu sauras punir
leur insolence. Et quand tu auras, dans ton palais, tué les prétendants par la ruse ou la force, à la pointe de ton épée, tu
devras à nouveau repartir, muni d'une bonne rame, jusqu'à
ce que tu atteignes la contrée des gens ignorant la mer,
50 l'usage du sel pour les aliments et celui des bonnes rames
semblables aux ailes des navires. Mais je vais t'indiquer un
signe infaillible[1]. Quand, sur le chemin, un voyageur te dira
que tu tiens sur ta robuste épaule une pelle à battre les épis,
tu devras planter en terre ta bonne rame et offrir à Poséidon
55 un magnifique sacrifice : un bélier, un taureau et un puissant
verrat[2]. Puis tu retourneras chez toi offrir de saintes hécatombes aux dieux immortels, maîtres-du-vaste-ciel. Enfin,
une douce mort viendra, loin de la mer[3], mettre un terme à
ta longue et opulente[4] vieillesse, et tu auras vu les peuples
60 heureux autour de toi. Telle est la vérité. [...]"

» *Ayant achevé ses prédictions, l'âme de Tirésias regagna le royaume
d'Hadès. [...]*

» *Vint alors l'âme de ma mère Anticlée : elle but le sang noir, me
reconnut et m'adressa ces plaintes ailées :*

65 "Mon enfant, tu es en vie et te voici au royaume des ombres ?
Pourtant, c'est un spectacle insoutenable pour les vivants.

---

notes

1. infaillible : qui ne peut
tromper.

2. verrat : porc mâle.

3. loin de la mer : autre
traduction possible :
« à partir de la mer ». On dit
que Télégone, fils de Circé
et d'Ulysse, tua son père
sans le connaître, après avoir
débarqué à Ithaque.

4. opulente : riche.

Nos deux mondes sont séparés par de larges fleuves et de violents courants, l'Océan tout d'abord, qu'on ne saurait franchir qu'avec un navire bien charpenté. Mais rentres-tu seulement de Troie, après tant d'années, errant à l'aventure sur ton vaisseau avec tes compagnons ? N'es-tu pas revenu à Ithaque, n'as-tu pas revu ta femme en ton palais ?"

» Ainsi dit-elle ; et moi je lui fis cette réponse :

"Ma mère, c'est la nécessité qui m'a conduit chez Hadès. je suis venu ici consulter l'âme du thébain Tirésias. Mais je n'ai pas encore revu l'Achaïe[1], ni foulé le sol natal. Je n'ai fait qu'errer misérablement, depuis que j'ai suivi le divin Agamemnon vers Ilion nourricière-de-beaux-chevaux pour y combattre les Troyens. Mais toi, parle-moi sans feinte[2] : quelle mort t'a donc cruellement domptée ? Est-ce une longue maladie ? Ou Artémis qui vint, armée de son arc, décocher[3] contre toi ses douces flèches ? Parle-moi aussi de mon père et de mon fils que j'ai laissés là-bas : mon pouvoir est-il resté entre leurs mains, ou bien est-il passé entre celles d'un autre ? Croit-on encore à mon retour ? Et ma femme, que fait elle ? Quelles sont ses pensées ? Est-elle restée auprès de son fils ? Veille-t-elle sur toutes nos richesses ? Ou bien a-t-elle épousé quelque prince achéen ?"

» Je dis ; et ma vénérable mère répondit aussitôt :

"Pénélope est toujours dans ton palais, mais elle souffre : ses jours et ses nuits se consument dans le chagrin et les larmes. Personne ne s'est encore emparé de ton pouvoir ; et Télémaque gère[4] tranquillement ton domaine, tenant son rang dans les riches festins. Quant à ton père, il vit désormais aux champs, il ne vient plus jamais en ville. Il se languit[5] de

notes

1. **l'Achaïe :** synonyme de Grèce.

2. **sans feinte :** sans tromperie.

3. **décocher :** lancer avec un arc.

4. **gère :** s'occupe de.

5. **il se languit :** il attend dans la tristesse.

ton absence, et son chagrin va grandissant tandis que l'accable l'impitoyable vieillesse. Et ce n'est pas autrement que j'ai trouvé mon funeste sort. [...] C'est le chagrin, le souci, mon noble Ulysse, et ma douce affection pour toi qui m'ont coûté la vie."

» *Elle dit ; et moi, dans mon tourment, je voulus étreindre[1] l'âme de ma défunte mère. Trois fois je m'élançai, avec toute la force de mon désir, trois fois elle glissa entre mes mains, semblable à une ombre ou un songe. Et je sentais une souffrance aiguë croître[2] dans mon cœur.*

» *Je lui adressai alors ces mots ailés :*

"Chère mère, pourquoi refuses-tu mes étreintes ? Ne pouvons-nous pas, au royaume d'Hadès, soulager notre cœur en pleurant dans les bras l'un de l'autre ?"

» *Aussitôt ma vénérable mère répondit :*

"Hélas, mon enfant, la loi est la même pour tous les hommes, lorsqu'ils meurent : les chairs et les os ne sont plus retenus par les nerfs, ils sont détruits, consumés par le feu ardent, et, dès que la vie a abandonné les blancs ossements, l'âme, elle, se libère et s'envole. Mais allons, tu aspires à revoir la lumière du jour, va et garde cela en mémoire, afin de l'apprendre à ta femme quand tu la reverras."

[Devant Ulysse défilent ensuite les ombres des reines et des princesses puis celles de ses compagnons de guerre. Agamemnon raconte sa triste fin lors de son retour de Troie. Achille lui confie qu'il regrette la vie. Ajax, rancunier, refuse de lui parler. Enfin, Uysse contemple Minos, juge des Enfers, puis ceux qui subissent des supplices tels Tantale et Sisyphe ou qui connaissent un relatif bonheur tel Héraklès.]

---

notes

1. *étreindre :* entourer de ses bras.　　**2. croître :** grandir.

» Et moi, je restais là, attendant de rencontrer d'autres héros, disparus avant nous. Mais soudain je vis s'assembler l'infernale troupe
120 des morts, et je sentis le frisson de la peur : et si l'illustre Perséphone allait, du fond de l'Hadès, me jeter la tête de Gorgone, cet horrible monstre ? Sans tarder alors, je remontai sur mon navire et donnai l'ordre à mes compagnons d'embarquer et de larguer l'amarre[1]. Ils sautèrent à bord et s'installèrent aux bancs des rameurs. Nous
125 remontâmes, au fil du courant, le fleuve Océan, à la force des rames d'abord, puis portés par une douce brise.

Ulysse et les Sirènes.
Gravure d'après un vase grec antique.

notes

1. larguer l'amarre : détacher le cordage qui retient le navire au rivage.

Chant XII

[Nuit du jour 33 : Ulysse et les Sirènes]

[Ulysse et ses compagnons retournent chez Circé qui les accueille, leur offre de la nourriture et du vin. Pendant la nuit, prenant Ulysse à part, elle le met en garde contre les dangers du voyage de retour : les Sirènes, les deux écueils de Charybde et Scylla, l'île du Soleil.

L'Aurore apparaît sur son trône doré, Circé s'éloigne et Ulysse s'embarque avec ses compagnons.]

» *Après avoir déposé tous les agrès*[1] *dans le navire, nous nous assîmes, nous laissant guider par le vent et le pilote.*

» *Je confiai alors à mes hommes les angoisses qui m'étreignaient*[2] :

5   "Amis, je vais vous dévoiler les prédictions[3] de Circé, la-toute-divine. Tous vous saurez alors ce qui peut nous

notes

1. agrès : voiles et cordages d'un navire.

2. qui m'étreignaient : qui me serraient le cœur.

3. prédictions : événements annoncés comme devant arriver.

perdre ou nous sauver de la mort fatale. Au doux chant des Sirènes, à leurs prairies en fleurs il nous faudra d'abord résister. Seul, je pourrai entendre leur voix, mais vous devrez m'attacher avec des liens solides, debout contre le mât, sans que je puisse me libérer de ces entraves[1]. Et, si je vous supplie, si je vous ordonne de me détacher, vous devrez alors serrer mes liens encore plus fort."

» J'expliquai tout en détail à mes compagnons ; et bientôt notre bon navire, poussé par un vent favorable, parvint à l'île des Sirènes. La brise tomba, le calme s'établit alors sur les flots, soudain endormis par une divinité. Mes compagnons se levèrent pour enrouler les voiles au creux du vaisseau, puis s'assirent, faisant blanchir l'écume de la mer sous le sapin de leurs rames[2].

» Pendant ce temps, avec mon épée, je coupai une grande boule de cire en menus morceaux que je pétris entre mes mains. Sous l'ardeur du tout-puissant Soleil, la cire ne tarda pas à mollir, et j'en bouchai les oreilles de chacun de mes hommes. Eux m'attachèrent solidement : pieds et mains liés, je restai debout contre le mât, sans pouvoir me libérer de ces entraves. Puis ils retournèrent s'asseoir : la mer blanchit sous les coups répétés de leurs rames, et le bateau fila à toute allure. Quand il approcha de l'île, sa course rapide n'échappa pas à la vigilance[3] des Sirènes. Elles entonnèrent[4] leur chant charmeur :

"Viens, illustre Ulysse, grande-gloire-des-Achéens, viens écouter notre voix, arrête ton navire. Jamais marin n'a poussé ici son noir vaisseau, sans se laisser charmer par nos douces mélodies. Il s'en va, le cœur réjoui et l'esprit plus savant, car nous connaissons tous les maux qu'endurèrent Argiens et Troyens, dans la vaste Troie, par la volonté des

---

notes

1. entraves : liens qui gênent les mouvements.

2. le sapin de leurs rames : les rames sont en bois de sapin.

3. vigilance : grande attention.

4. entonnèrent : commencèrent à chanter.

35 dieux. Et tout ce qui a lieu sur la terre féconde, nous le savons aussi."

» *Voilà ce que chantait leur voix magnifique. Comme je désirais de tout mon cœur les entendre, je fronçai les sourcils pour ordonner à mes compagnons de me détacher. Mais, tandis qu'ils se penchaient*
40 *davantage sur leurs rames, Euryloque et Périmède vinrent serrer plus fortement mes liens. Enfin, quand nous eûmes dépassé l'île des Sirènes, que nous n'entendîmes plus leur voix ni leur chant, mes fidèles compagnons ôtèrent la cire dont j'avais bouché leurs oreilles, et me libérèrent de mes entraves.*

[Charybde et Scylla]

» *À peine avions-nous quitté l'île, que soudain je vis se former des* vapeurs, *des remous immenses et perçus*[1] *un grondement terrible. Saisis de peur, mes compagnons lâchèrent leurs rames, qui tombèrent avec un bruit sourd au fil de l'eau. Le bateau, qui n'était plus tiré*
50 *à la force des rames, s'immobilisa.*

» J'allai, d'un bout à l'autre du navire, encourager mes compagnons : "Amis, l'expérience vous a appris à supporter les épreuves. Il ne peut y avoir là plus grand danger que dans l'antre du Cyclope où nous étions à la merci d'un être brutal. Mon
55 courage, mes décisions et mon esprit avisé surent vous délivrer de cette embûche[2], et je crois que vous vous en souviendrez longtemps. Obéissez donc une nouvelle fois à mes ordres ! Reprenez vos rames et frappez ferme dans ces profonds remous ; quant à toi, pilote, passe au large de
60 ces vapeurs et de ces tourbillons, et longe cet écueil en

notes

1. perçus : entendis.   **2. embûche :** difficulté.

83

louvoyant[1]. Ouvre l'œil : si jamais tu diriges le navire contre ces rochers, c'est la mort assurée pour nous !"

» Je dis ; et mon discours sut les persuader.

» Je ne leur parlai pas de Scylla, cet abîme de tristesse : ils auraient
65 cédé à la panique et cessé de ramer pour courir se blottir au fond du navire. Car Scylla est un monstre invincible, un mal éternel. Elle gîte[2] dans une caverne, à mi-hauteur dans la roche sombre. Elle a six cous interminables, six gueules effroyables, pourvues chacune d'une triple rangée de dents : un véritable abîme de mort ! Oubliant
70 pour ma part les sévères prescriptions[3] de Circé, j'endossai mes armes illustres, saisis deux longues lances et allai me hisser sur le gaillard d'avant. De là, je pensais voir apparaître Scylla, ce monstre de pierre, qui devait coûter la vie à mes compagnons. Mais je ne pus l'apercevoir : mes yeux se fatiguaient vainement[4] à percer la brume
75 environnante.

» Le cœur serré, nous nous engageâmes dans le détroit, ayant Scylla d'un côté, et de l'autre la divine Charybde, qui engloutit l'onde salée, puis la recrache à grand bruit en de tumultueux tourbillons, comme de l'eau qui bout dans un chaudron. L'écume alors recouvre
80 les cimes des deux Écueils. Puis, quand elle avale de nouveau l'onde amère, elle se trouble jusqu'au fond, les roches tout autour mugissent[5], et le sable noir apparaît tout en bas. À cette vue, un frisson de peur saisit mes compagnons.

» Tandis que, la mort dans l'âme, nous regardions Charybde, Scylla
85 enleva, au creux de mon navire, six de mes hommes, les plus forts, les plus courageux. Je me retournai vers eux, mais n'aperçus que leurs pieds et leurs mains soulevés dans les airs, et les entendis m'ap-

---

notes

1. **en louvoyant :** en allant tantôt à droite, tantôt à gauche.

2. **elle gîte :** elle demeure.

3. **prescriptions :** ordres impératifs.

4. **vainement :** inutilement.

5. **mugissent :** font un bruit qui ressemble au cri de la vache.

peler au secours. Scylla les dévora devant son antre : ils hurlaient et
tendaient leurs mains vers moi en se débattant affreusement. Ah !
90 c'est le pire spectacle qu'il m'ait été donné de voir, dans ma longue
errance sur la mer.

» Après avoir échappé aux Écueils, à Charybde et à Scylla, nous
abordâmes l'île splendide du Soleil. Là se trouvaient les belles vaches
au-large-front, les nombreuses et grasses brebis appartenant toutes au
95 fils d'Hypérion[1].

[Ulysse sur l'île du Soleil]

[À la prière de ses hommes et à contre-cœur, Ulysse accepte de faire relâche dans l'île du Trident. Forcés par des vents contraires de rester un mois dans l'île, ils épuisent les vivres donnés par Circé. Aussi, alors que les dieux ont envoyé à Ulysse un doux sommeil, ses compagnons sacrifient les vaches qui appartiennent au Soleil, et se restaurent. Ulysse, réveillé, lance des cris désespérés aux dieux et querelle vivement ses hommes. Sept jours plus tard, remis à la mer, le bateau est fracassé par la tempête qu'a déchaînée Zeus et tous les compagnons d'Ulysse périssent. Accroché à l'épave, après avoir de nouveau échappé à Charybde et dérivé pendant neuf jours, Ulysse aborde dans l'île de Calypso. Là prennent fin les récits faits à Alkinoos.]

notes

1. Hypérion : Titan, fils
d'Ouranos, père du Soleil,
de la Lune et de l'Aurore.

Au fil du texte

QUE S'EST-IL PASSÉ ENTRE-TEMPS ?

1. Où Ulysse s'est-il rendu après son départ de l'île de Circé ? Citez le texte.

2. Que lui a appris Tirésias sur l'île du Soleil ?

3. Le destin des marins est-il fixé d'avance ?

4. Quelles épreuves Tirésias a-t-il annoncées à Ulysse à partir de son retour à Ithaque ?

AVEZ-VOUS BIEN LU ?

5. Que nous dit Homère sur l'apparence des Sirènes ?

6. Que pensez-vous de la solution d'Ulysse pour échapper aux Sirènes ?

7. Pourquoi Ulysse ne se bouche-t-il pas les oreilles ?

8. Que raconte le chant des Sirènes et quel est son effet sur Ulysse ?

9. Décrivez les lieux où séjournent Charybde et Scylla.

10. À quoi voit-on que ces créatures sont des monstres ? (Nommez les procédés employés.)

11. Quel danger chaque monstre fait-il courir à l'équipage ?

12. Combien d'hommes meurent ? Cela vous rappelle-t-il un autre épisode de l'*Odyssée* ?

13. Après le passage dans l'île du Soleil, qui survit et pourquoi ?

ÉTUDIER LE VOCABULAIRE

14. Recherchez le mot « *sirène* » dans un dictionnaire. Employez-le dans plusieurs phrases où il prendra des sens différents. Vous établirez ainsi son champ sémantique★.

15. Trouvez une expression comportant les mots « *Charybde et Scylla* », donnez son sens et employez-la dans une phrase. (Vous pouvez vous aider d'un dictionnaire des proverbes et des citations.)

ÉTUDIER LE DISCOURS

16. La situation de communication★ : indiquez le mode le plus fréquent des verbes utilisés dans les recommandations d'Ulysse avant d'aborder Charybde et Scylla. Quel rôle Ulysse se donne-t-il face à ses compagnons ?

ÉTUDIER LE GENRE

17. Comparez les deux épisodes des Sirènes et de Charybde et Scylla : l'atmosphère, la nature des monstres et le comportement d'Ulysse.

ÉTUDIER UN THÈME

18. Personnages fabuleux dans l'épopée. Comment étaient représentées les Sirènes dans la mythologie grecque ? Quelle apparence prennent-elles dans d'autres récits merveilleux ? Aidez-vous d'un dictionnaire des mythologies ou d'une encyclopédie.

À VOS PLUMES !

19. Racontez la disparition des six compagnons d'Ulysse, sans l'intervention du merveilleux.

champ sémantique : ensemble des sens (propres ou figurés) que peut avoir un mot.

situation de communication : circonstances dans lesquelles s'inscrit la communication et qui permettent de savoir :
– qui parle (locuteur),
– à qui on parle (destinataire),
– dans quel but on parle,
– où et quand on parle.

Chant XIII

[Jours 33 à 35 au matin : retour d'Ulysse à Ithaque]

Ainsi dit Ulysse ; et tous restaient silencieux, tenus sous le charme, dans l'ombre de la salle.

⁵ Alkinoos enfin prit la parole :

« Ulysse, tu as franchi le seuil de bronze de ma haute demeure, après avoir beaucoup souffert, mais tu n'auras plus, je crois, à errer de la sorte avant de rentrer chez toi. À chacun de vous autres qui buvez le vin aux-sombres-feux tous les soirs dans ¹⁰ ma demeure, pendant que chante l'aède, voici ce que j'ordonne. Vous êtes douze rois remarquables à vous partager le pouvoir sur ce peuple, et je suis le treizième : que chacun d'entre vous offre à notre hôte une écharpe fraîchement lavée, une tunique, un talent¹ d'or précieux ainsi qu'un grand trépied² et un

notes

1. talent : poids d'une trentaine de kg.

2. trépied : vase à trois pieds.

15 *chaudron*[1]. *Nous en prélèverons le prix sur le peuple assemblé, car une telle générosité serait trop lourde pour nous seuls.* »
Il dit ; et tous approuvèrent.

[Et chacun pour dormir rentre dans sa demeure. Dès que paraît Aurore aux-doigts-de-rose, on place les présents dans le vaisseau. Le roi offre à Zeus un sacrifice et l'on est à la joie du festin. L'aède chante. Au coucher du Soleil, Ulysse remercie les Phéaciens et s'en va vers le port.]

Quand ils eurent rejoint le navire et la mer, les nobles passeurs[2] d'Alkinoos déposèrent au creux du vaisseau boisson
20 et nourriture. Sur le gaillard arrière, ils étendirent un drap de
lin et une couverture, afin qu'Ulysse pût dormir d'un sommeil profond. Ulysse s'embarqua et se coucha en silence,
pendant que les rameurs, installés sur leurs bancs, détachaient
l'amarre et faisaient jaillir l'écume de la mer sous leurs
25 avirons[3]. Un doux sommeil tomba alors sur les paupières
du héros, un sommeil profond, semblable au repos de la
mort. [...]
Le lendemain matin, débarquant du vaisseau bien charpenté,
les passeurs soulevèrent Ulysse, enveloppé dans la couver-
30 ture et le drap brillant, et le déposèrent endormi sur le sable
du rivage. Ils rassemblèrent les présents[4] des Phéaciens
au pied d'un olivier, à l'écart du chemin, de peur qu'un
passant ne s'en emparât avant le réveil d'Ulysse. Puis ils s'en
retournèrent. Mais l'Ébranleur-du-sol n'avait pas oublié ses
35 menaces contre Ulysse égal-aux-dieux. Il s'en remit à Zeus :
« *Zeus père, comment pourrai-je prétendre désormais à l'estime des*

notes

1. *chaudron :* récipient métallique à anse où l'on fait chauffer quelque chose.

2. *passeurs :* personnes qui conduisent des bateaux pour passer d'un endroit à un autre.

3. *avirons :* rames.
4. *présents :* cadeaux.

dieux immortels, si de simples hommes, comme ces Phéaciens nés pourtant de ma race, n'ont plus pour moi aucun respect ? Je savais qu'Ulysse, au terme de ses épreuves, rentrerait chez lui ; je ne lui
40 *avais d'ailleurs pas interdit ce retour que tu lui avais formellement promis. Mais vois, les Phéaciens l'ont endormi et ramené sur leur nef rapide jusqu'en Ithaque ! Et ils l'ont comblé de magnifiques présents : or, bronze et vêtements bien tissés ! Jamais Ulysse, même s'il était revenu sain et sauf de Troie, n'aurait rapporté un tel butin. »*

45 Zeus, l'assembleur-des-nuées, lui fit cette réponse :

« Que dis-tu là, puissant Ébranleur-du-sol ? Assurément, les dieux ont pour toi du respect ; il leur serait bien difficile d'outrager[1] le plus vénérable, le meilleur d'entre eux. Mais si l'on te provoque, si l'on te fait violence, tu as toujours le droit de te venger. Fais ce que tu
50 *veux, agis selon ton cœur. »*

Poséidon, l'Ébranleur-du-sol, lui répondit :

« Je l'aurais déjà fait, ô dieu-des-sombres-nuées, mais je crains toujours ta colère et veux l'éviter. Dès aujourd'hui, les passeurs phéaciens verront leur superbe vaisseau anéanti sur la mer azurée : ils
55 *cesseront désormais de reconduire les étrangers. »*

Zeus, l'assembleur-des-nuées, dit alors :

« Cher fils, c'est là une excellente décision. Quand, de la ville, les gens verront s'avancer le bateau, change-le en rocher, tout près de la terre, et conserve-lui sa forme de bateau : que tous s'étonnent de ce
60 *prodige. »*

À ces mots, Poséidon, l'Ébranleur-du-sol, se dirigea vers l'île de Schérie[2], où demeurent les Phéaciens. Il attendit ; bientôt, le navire approcha, filant à toute allure : Poséidon s'avança, le changea en rocher et, le frappant du plat de sa
65 main, l'enracina profondément. Puis il s'en retourna. [...]

---

notes

1. outrager : manquer de respect à.

2. Schérie : nom de l'île des Phéaciens.

[Pendant ce temps, Ulysse s'éveille sur sa terre natale, mais ne la reconnaît pas. Athéna, sous les traits d'un jeune berger, s'approche et lui dit que cette île a pour nom Ithaque. Ulysse s'en réjouit mais, prudent, se fait passer pour un Crétois en fuite car il a tué un homme qui voulait le priver de ses biens. Athéna reprend alors ses traits de belle femme et se moque gentiment de lui et de ses mensonges. Ensemble, ils cachent les trésors au fond de la grotte des Nymphes, puis se dirigent vers un olivier.]

Assis au pied d'un olivier sacré, ils méditèrent la mort des prétendants[1] insolents[2].
Athéna, la déesse au-clair-regard, prit la parole :
« *Fils de Laërte, Ulysse à-l'esprit-inventif, réfléchis au moyen*
70 *d'abattre ces effrontés qui font la loi dans ton palais et courtisent ta femme avec leurs présents.* »
Ulysse l'avisé lui fit cette réponse :
« *Hélas ! j'aurais donc, en ma demeure, subi le sort atroce de l'atride Agamemnon, si tu n'étais venue tout me dévoiler, ô déesse. Mais*
75 *allons ! aide-moi à tisser ma vengeance, reste à mes côtés pour m'insuffler[3] la force et l'audace nécessaires. [...]* »
Athéna, la déesse au-clair-regard, lui répondit :
« *Toujours je serai là et veillerai sur toi quand nous passerons à l'action. De ces prétendants qui dévorent tes biens, puissent alors le sang*
80 *et la cervelle éclabousser le sol de ta demeure ! Mais allons, je vais te rendre méconnaissable[4] aux yeux de tous [...], même à ceux de ton fils et de ton épouse que tu as laissés dans ton palais. Toi, commence par te rendre chez ton porcher[5] Eumée, qui garde tes bêtes. Il t'est resté fidèle et éprouve, pour ton fils et la sage Pénélope, une*

---
notes

1. prétendants : ceux qui veulent épouser Pénélope.

2. insolents : effrontés, impolis.

3. m'insuffler : faire entrer en moi par un souffle.

4. méconnaissable : que l'on ne peut pas reconnaître.

5. porcher : gardien de porcs.

85 *tendre affection. Tu le trouveras près de ses porcs. Reste chez lui à*
attendre, et interroge-le sur tout. Pendant ce temps, je me rendrai à
Sparte aux-belles-femmes, afin de rappeler Télémaque, ton cher fils,
qui est parti jusque dans la vaste Lacédémone, s'informer auprès de
Ménélas si tu vis encore. »

90 Ulysse l'avisé lui fit cette réponse :
« Mais pourquoi ne lui as-tu rien dit, toi qui savais tout ? Est-ce
pour qu'il aille à l'aventure, lui aussi, et souffre mille maux sur la
mer inféconde, pendant que d'autres mangent ses biens ? »
Athéna, la déesse au-clair-regard, lui dit alors :

95 *« Ne t'inquiète donc pas pour lui. C'est moi qui lui ai fait entre-*
prendre ce voyage, afin qu'il s'acquière une bonne renommée. Il
ne souffre pas : il est installé tranquillement dans le palais de
Ménélas, où tout lui est abondamment offert. De jeunes prétendants,
il est vrai, lui tendent une embuscade sur leur noir vaisseau, dési-
100 *rant le tuer avant qu'il ne foule le sol de sa patrie. Mais sois sans*
crainte, cela ne sera pas, et plus d'un aura, auparavant, mordu la
poussière ! »

Sur ces mots, Athéna effleura Ulysse de sa houlette[1]. Elle
flétrit[2] sa belle peau sur ses membres souples et fit tomber
105 ses blonds cheveux : il avait désormais, sur tout le corps, la
peau d'un vieil homme ; ses yeux, jadis si beaux, étaient
éraillés[3], et il portait sur le dos une mauvaise loque, toute
déchirée, tachée et noircie par la fumée. Par-dessus, Athéna
avait jeté une peau de cerf, râpée et trouée, nouée avec une
110 corde en guise[4] de ceinture.

Après s'être ainsi concertés[5], ils se séparèrent. Et Athéna se
dirigea vers la divine Lacédémone.

---

notes

1. houlette : bâton de berger terminé par une plaque en forme de cuillère servant à envoyer des mottes de terre aux bêtes qui s'éloignent du troupeau.
2. flétrit : rida.
3. éraillés : injectés de sang.
4. en guise : à la place.
5. concertés : entendus.

Chant XIV

[Jour 35 : Ulysse chez Eumée]

Ulysse quitta le port ; il s'engagea à travers bois sur le sentier rocailleux[1] menant vers les hauteurs où, lui avait dit Athéna, il trouverait le divin[2] porcher dévoué à son
5 maître, le meilleur des serviteurs acquis par Ulysse. [...] Soudain, des chiens qui l'avaient vu se précipitèrent sur lui en aboyant furieusement. Ulysse eut le bon réflexe de s'asseoir, mais son bâton lui échappa des mains. Il aurait subi là, devant son étable, le pire des outrages[3] si le por-
10 cher, bondissant de l'entrée, n'avait rapidement couru derrière eux.

Celui-ci héla[4] ses chiens, les dispersa sous une pluie de cailloux puis s'adressa à son maître :

« Il était temps, vieillard ! les chiens allaient te mettre en pièces,

notes

1. rocailleux : pierreux.

2. divin : ici, de grande qualité.

3. outrages : agressions.

4. héla : appela de loin.

15 *et moi j'aurais été couvert de honte. J'ai bien assez cependant des*
soucis, des peines que les dieux m'ont donnés. Mon pauvre maître !
cela me fait mal de devoir engraisser ses porcs pour que d'autres les
mangent, pendant que lui meurt peut-être de faim, et erre de ville
en ville, en terre étrangère, si toutefois il vit toujours et voit encore la
20 *lumière du Soleil. Mais allons, suis-moi dans ma cabane, vieillard,*
que tu aies toi aussi ton contentement de pain[1] *et de vin, puis tu*
me diras d'où tu es et quels sont tes soucis. »

À ces mots, le divin porcher l'introduisit dans sa cabane et
l'invita à s'asseoir sur une épaisse toison de chèvre sauvage,
25 qui lui servait de couche et sous laquelle il avait entassé
d'épais branchages. Ulysse, heureux d'être ainsi accueilli, lui
adressa ces paroles :

« Puissent Zeus et les autres dieux satisfaire tes plus chers désirs,
mon hôte, toi qui m'accueilles avec tant de bonté ! »

30 Et toi, porcher Éumée, tu lui répondis alors :

« Étranger, ce serait un sacrilège[2] *de manquer d'égards*[3] *envers un*
hôte, même plus démuni[4] *que toi, car étrangers et mendiants nous*
sont envoyés par Zeus [...]. »

[Eumée prépare alors des brochettes de porcelets pour l'étranger et lui
sert du vin. Pendant son repas, il lui dit comment les prétendants,
croyant Ulysse mort, font leur cour à Pénélope et dévorent tout son
bien en festoyant chez lui. Le repas terminé, Ulysse raconte ses mésa-
ventures sur la mer en se faisant passer pour un Crétois. Il annonce à
Eumée, qui ne le croit pas, qu'Ulysse est toujours vivant et sur le point
de rentrer à Ithaque. Puis, près du feu, sur un lit fait de peaux de chèvres
et de moutons, Ulysse se couche.]

---

notes

1. ton contentement de pain : du pain, autant que tu en veux.

2. sacrilège : offense faite aux dieux.

3. égards : attention portée

à une personne que l'on respecte.

4. démuni : sans ressources.

Chant XV

[Jours 35 à 37 au matin : le retour de Télémaque à Ithaque]

Pallas Athéna s'était rendue au beau pays de Sparte pour inciter[1] l'illustre fils du généreux

5 Ulysse à songer au retour, sans plus tarder.

Elle trouva Télémaque et le noble fils de Nestor étendus sous le porche de Ménélas. Pisistrate avait cédé au doux sommeil ; Télémaque, lui, restait éveillé dans cette nuit divine, le cœur rongé d'inquiétude à la pensée de son
10 père.

Athéna, la déesse au–clair–regard, s'approcha, et lui dit :

« Télémaque, c'en est fini de ces errances[2] loin de ta demeure !
Tu as laissé là-bas tes richesses et des hommes d'une folle arro-
gance[3] ! Bientôt, ils se seront tout partagé, ils auront tout dévoré,
15 *et toi, tu auras fait ce voyage pour rien !*

notes

1. inciter : pousser. **2. errances :** voyages sans but. **3. arrogance :** orgueil insolent.

Va vite prier Ménélas de te laisser partir, si tu veux trouver encore ta mère à la maison. Car déjà, son père et ses frères la pressent[1] d'épouser Eurymaque, dont les présents surpassent ceux des autres prétendants et ne cessent d'augmenter. [...] J'ai une dernière chose à
20 *te dire, dont il faut bien te souvenir. Les chefs des prétendants t'ont tendu une embuscade, dans le détroit qui sépare Ithaque de Samé-la-Rocheuse[2] : ils veulent te tuer avant que tu ne regagnes ton pays. [...] Évite ces îles avec ton bon vaisseau, et navigue de nuit seulement ; un dieu qui te protège t'enverra un bon vent arrière. Et dès*
25 *que tu auras abordé le premier cap d'Ithaque, renvoie le navire et ton équipage en ville ; puis va directement chez le porcher. Tu passeras la nuit là-bas, et enverras Eumée avertir la très sage Pénélope que tu es en vie et rentré de Pylos. »*
Sur ces mots, Athéna regagna l'Olympe.

[Aussitôt Télémaque décide de quitter Sparte. Ménélas partage avec lui un dernier repas et lui offre ainsi qu'Hélène des présents magnifiques. Au moment de son départ, un présage favorable est envoyé par Zeus qu'Hélène interprète comme un signe du retour d'Ulysse et de sa vengeance. Télémaque passe par Pylos, où il laisse Pisistrate. Pendant ce temps, Eumée raconte à Ulysse, qu'il n'a toujours pas reconnu, comment il devint esclave. Après un heureux voyage, Télémaque aborde à Ithaque et se hâte vers la demeure d'Eumée.]

notes

1. *la pressent :* la poussent vivement.

2. *Samé-la-Rocheuse :* grande île à l'est d'Ithaque (aujourd'hui : Céphalonie).

96

Chant XVI

[Jour 37 : la reconnaissance d'Ulysse par Télémaque]

[Dès l'Aurore, Ulysse et le porcher ont allumé un feu. Eumée est fou de joie lorsqu'il voit Télémaque debout sur son seuil. Ce dernier lui demande d'aller prévenir sa mère de son retour.]

Athéna n'eut pas plus tôt vu le porcher Eumée sortir de l'enclos, qu'elle s'approcha, sous les traits d'une femme grande, belle et experte en fins ouvrages. Elle s'arrêta à l'entrée de la cabane et apparut à Ulysse. Télémaque, lui,
5 ne s'aperçut pas de sa présence, car les dieux ne se rendent pas visibles à tous. Ulysse la vit, les chiens eux aussi la virent, mais ils n'aboyèrent pas : ils détalèrent à l'autre bout de l'enclos avec des grognements plaintifs.

Athéna fronça les sourcils : à ce signe, Ulysse obéit et
10 sortit dans la cour. La déesse lui dit :

« Fils de Laërte, divin Ulysse à-l'esprit-inventif, il ne faut plus rien cacher à ton fils, mais tout lui révéler. Quand vous aurez tous les deux planifié[1] la mort des prétendants, allez jusqu'à

notes

1. planifié : organisé.

l'illustre ville : je ne tarderai pas à vous y rejoindre, car je suis impa-
15 *tiente de participer à la bataille. »*

Sur ces mots, Athéna l'effleura de sa baguette d'or. Elle le
revêtit d'une tunique et d'un manteau fraîchement lavé, le
grandit et le rajeunit. [...] Cela fait, elle s'en alla. Quand
Ulysse rentra dans la cabane, son fils fut frappé de stupeur :
20 il détourna ses regards, craignant d'avoir affaire à un dieu,
puis il lui adressa ces paroles ailées[1] :

« Tu as changé d'apparence, ô mon hôte, te voilà avec des vêtements
différents, ton corps n'est plus le même : serais-tu un des dieux,
maîtres-du-vaste-ciel ? Sois-nous favorable, nous t'offrirons des
25 *sacrifices et des présents en or, mais épargne-nous. »*

Le divin Ulysse à-l'âme-endurante lui répondit :

« Pourquoi me compares-tu à un Immortel ? Je ne suis pas un dieu,
mais ton père, ton père que tu pleures, pour lequel tu souffres tant et
subis la violence de ces hommes ! »

30 Il dit, puis embrassa son fils, laissant couler sur ses joues les
larmes qu'il avait eu tant de mal à contenir jusque-là.

Mais Télémaque, refusant toujours de croire que ce fût son
père, lui dit à nouveau :

« Non ! tu n'es pas Ulysse, tu n'es pas mon père. Une divinité me
35 *trompe, voulant accroître mes souffrances. Car un homme ne pour-*
rait pas, par ses seules ressources, opérer un tel changement. Il faut
qu'un dieu l'assiste, pour faire de lui, aussi facilement, un jeune
homme ou un vieillard. À l'instant, tu n'étais qu'un vieillard cou-
vert d'une mauvaise loque, et te voici maintenant semblable aux
40 *dieux, maîtres-du-vaste-ciel. »*

Ulysse l'avisé lui fit cette réponse :

« Télémaque, le retour de ton père ne doit pas te surprendre, te trou-
bler à ce point. Il ne viendra pas ici d'autre Ulysse que moi, car

---

notes

1. paroles ailées : paroles qui
« s'envolent » de la bouche.

Ulysse, c'est bien moi, qui reviens dans ma patrie au bout de vingt
45 *années, après avoir tant souffert, tant erré ! Cette métamorphose est*
l'œuvre d'Athéna pourvoyeuse-de-butin[1] : elle peut, à son gré[2], faire
de moi tantôt un mendiant, tantôt un jeune homme paré de beaux
vêtements [...]. »
Après avoir ainsi parlé, il s'assit. Télémaque se jeta alors dans
50 les bras de son noble père, qu'il embrassa en pleurant. Et tous
les deux furent pris de violents sanglots. [...]

[Ulysse explique alors à Télémaque les détails de son plan pour la vengeance. Mais Télémaque craint l'échec, si nombreux sont les prétendants. Ulysse le rassure : Zeus et Athéna sont ses alliés. Comment ne
pas avoir confiance quand on est défendu par les dieux ? Au palais
d'Ulysse, un grand trouble se répand parmi les prétendants à l'annonce du retour de Télémaque. Antinoos avait tant espéré qu'il trouve
la mort dans leur embuscade ! Aussitôt, certains projettent un nouveau
complot. Eumée retourne auprès de Télémaque et d'Ulysse, et tous
trois vont dormir.]

**Ulysse, Eumée
et les chiens.**

notes

1. pourvoyeuse-de-butin :
qui permet de prendre des
biens à l'ennemi. Athéna
favorise Ulysse en tant que
déesse de la guerre.

2. à son gré : comme elle veut.

Chant XVII

[Jour 38 : les humiliations d'Ulysse]

[À peine était sortie l'Aurore aux-doigts-de-rose, que Télémaque, après avoir demandé au porcher Eumée d'emmener le pauvre étranger au palais pour qu'il mendie son pain, s'en va auprès de sa mère. Il retrouve le devin Théoclymène qui prédit devant Pénélope qu'Ulysse revenu va se venger des prétendants. Ces derniers, pendant ce temps, entrent dans la grande salle pour préparer le repas.]

Pendant ce temps, Ulysse et le divin porcher quittaient les champs pour se rendre en ville. [...]
Ils allaient tous les deux, laissant l'étable à la garde des chiens et des autres bergers. Eumée guidait son maître
5   vers la ville, mais celui-ci avait l'apparence d'un vieillard, d'un misérable mendiant, appuyé sur un bâton et vêtu de haillons sordides.
[...] Mélanthios, fils de Dolios, vint à croiser leur chemin : il menait des chèvres, les plus belles du trou-
10   peau, pour le festin des prétendants, et deux bergers le suivaient. À peine les eut-il vus qu'il les accabla d'injures,

de paroles outrageantes[1], et le cœur d'Ulysse en fut mordu à vif.

« Quel beau spectacle ! Un vaurien guidé par un autre vaurien !
15 *Un dieu fait donc toujours se rencontrer les âmes sœurs[2] ? Infâme[3]*
porcher, où conduis-tu cet affamé, ce mendiant indésirable, fléau[4] des
festins ? [...] »

À ces mots, ce fou furieux s'approcha d'Ulysse et lui décocha[5] un coup de pied dans la hanche. Ulysse tint ferme
20 et ne quitta pas le sentier, mais il hésitait : allait-il, d'un coup de son bâton, lui faire rendre l'âme, ou bien le soulever et lui briser le crâne contre terre ? Enfin, il renonça et contint[6] son envie, laissant Eumée fixer l'insolent droit dans les yeux et lui adresser des reproches.

[Mélanthios s'en va rapidement rejoindre les prétendants. Ulysse et Eumée arrivent à leur tour devant le palais.]

25 Un chien qui était couché là dressa la tête et les oreilles. C'était Argos, le chien qu'Ulysse à-l'âme-endurante avait lui-même élevé autrefois, sans avoir le temps d'en profiter, avant son départ pour la sainte Ilion. En ce temps-là, des jeunes gens l'emmenaient courir[7] les chèvres sauvages, les
30 chevreuils et les lièvres. Mais, depuis que son maître était parti, il gisait là, sans soin, sur du fumier de mulet et de bœuf, qu'on entassait devant les portes du palais pour que les serviteurs d'Ulysse y prennent de quoi fumer[8] le grand domaine. Argos était étendu là, couvert de poux. Or, dès

---

notes

1. outrageantes : insultantes.

2. âmes sœurs : personnes qui se ressemblent.

3. infâme : détestable.

4. fléau : personne nuisible.

5. décocha : lança brusquement.

6. contint : domina.

7. courir : chasser.

8. fumer : répandre du fumier dans un champ pour rendre la terre plus riche.

35 qu'il sentit qu'Ulysse approchait, il agita la queue et coucha
ses deux oreilles, mais il n'eut pas la force d'aller au-devant
de son maître. Ulysse s'en aperçut : il se détourna pour
essuyer une larme, et trompa Eumée en s'empressant de lui
demander :

40 « *Comme c'est curieux, Eumée, ce chien étendu sur du fumier ! Il
a un corps magnifique, cependant je n'arrive pas à savoir si sa rapidité à la course égalait sa beauté, ou s'il n'était qu'un de ces chiens
de table que les maîtres nourrissent pour leur fière allure.* »

Et toi, porcher Eumée, tu lui fis cette réponse :

45 « *C'est le chien de cet homme qui est mort au loin. Ah ! si tu
pouvais le voir, aussi beau, aussi vif qu'il était autrefois quand
Ulysse le laissa à son départ pour Troie, tu admirerais sa rapidité et
sa force : au plus profond de la forêt, jamais aucune bête sauvage ne
lui échappait, car son flair était infaillible. Maintenant, hélas ! le*
50 *malheur le ronge : son maître est mort loin de sa patrie, et les femmes
ne s'en occupent pas, elles le négligent.* [...] »

Sur ces mots, il entra dans la vaste demeure et alla directement dans la salle se mêler aux fiers prétendants. Mais Argos
avait à peine revu Ulysse après vingt ans, que déjà l'ombre
55 de la mort s'emparait de lui. [...]

Ulysse à son tour pénétra dans le palais [...] ; il s'assit sur le
seuil de frêne, à l'intérieur des portes. [...]

Télémaque appela alors le porcher et lui dit, après avoir pris
un pain entier dans la plus belle des corbeilles et autant de
60 viande que ses deux mains pouvaient contenir :

« *Va donner cela à l'étranger, et dis-lui d'aller mendier auprès de tous
les prétendants, car la honte ne convient pas aux miséreux.* »

À peine eut-il prononcé ces mots, que le porcher alla
trouver Ulysse et lui dit ces paroles ailées :

65 « *Étranger, Télémaque t'offre cela et te demande d'aller mendier
auprès de tous les prétendants, car la honte, dit-il, ne convient pas
aux pauvres.* »

Ulysse l'avisé lui adressa cette réponse :

« *Zeus souverain, puisses-tu assurer le bonheur de Télémaque et*
70 *combler[1] tous ses désirs !* »

Il dit, prit la nourriture à deux mains et la déposa à ses pieds, sur sa misérable besace[2]. Il se mit à manger, tandis que l'aède chantait dans la grande salle. [...] Puis il alla quémander[3] de gauche à droite, tendant la main ici et là, comme s'il avait
75 toujours été un mendiant. Les prétendants avaient pitié de lui, donnaient, mais étaient surpris à sa vue et se demandaient qui il était et d'où il venait.

Mélanthios, le maître-chevrier, dit alors :

« *Écoutez-moi, prétendants de la plus illustre reine, cet étranger, je*
80 *l'ai déjà vu : c'est le porcher qui l'a amené ici, mais j'ignore quelle est sa naissance.* »

Il dit, et Antinoos s'en prit vivement au porcher :

« *Porcher trop-bien-connu, pourquoi nous as-tu amené cet homme en ville ? N'avons-nous pas assez des autres vagabonds, de ces men-*
85 *diants indésirables, fléaux des festins ? Tu te plains que les préten-dants assemblés ici mangent les vivres[4] de ton maître, et voilà que tu amènes un autre convive ?* »

Et toi, porcher Eumée, tu lui répondis :

« *Antinoos, tes propos ne sont pas dignes de ta noble naissance. [...]*
90 *De tous les prétendants, c'est toujours toi le plus dur envers les serviteurs d'Ulysse, et plus particulièrement envers moi. Mais moi, je ne me fais pas de souci, tant que vivent au palais la sage Pénélope et Télémaque semblable-aux-dieux.* »

Le prudent Télémaque le regarda et lui dit :

95 « *Silence ! n'adresse plus un seul mot à cet homme ! Avec ses*

---

notes

1. combler : satisfaire entièrement.

2. besace : sac porté sur l'épaule avec une poche devant et une poche derrière.

3. quémander : mendier.

4. les vivres : la nourriture.

propos acides[1], *Antinoos cherche toujours querelle, et excite les autres. »*

Il dit, et ajouta ces mots ailés à l'adresse d'Antinoos :

100 *« Antinoos, vraiment tu te soucies de moi comme d'un fils, quand tu me commandes de chasser cet étranger de la grande salle ! Puisse la divinité m'empêcher d'agir ainsi ! Prends donc et donne-lui ! Ne crains rien, c'est moi qui te le demande. [...] Mais non, ton cœur n'en a pas envie : tu préfères te gaver*[2] *plutôt que de donner aux autres ! »*

105 Antinoos lui fit alors cette réponse :

« Télémaque, orateur[3] *plein d'orgueil et de colère, qu'as-tu dit ? Que tous les prétendants lui donnent autant que moi, et il nous débarrassera les lieux pour trois bons mois ! »*

À ces mots, il saisit un tabouret [...] et le lança contre le dos

110 de l'étranger. Il l'atteignit à l'épaule droite, mais Ulysse resta ferme comme un roc : le coup ne l'avait même pas fait chanceler[4]. Il ne dit rien, mais hocha la tête en ruminant[5] sa vengeance.

[Les autres prétendants regrettent le geste d'Antinoos : si le mendiant était un dieu ! Les dieux prennent si souvent les traits d'un étranger pour mieux connaître les hommes ! Pénélope fait venir le porcher pour qu'il lui conduise le mendiant qu'elle voudrait interroger sur Ulysse. Mais, par prudence, ce dernier n'accepte de venir qu'au soleil couché. Vers le soir, Eumée s'en va et les prétendants prennent plaisir à la danse et au chant.]

notes

1. *propos acides* : paroles désagréables destinées à blesser.

2. *te gaver* : manger avec excès.

3. *orateur* : personne qui sait bien parler.

4. *chanceler* : perdre l'équilibre.

5. *ruminant* : tournant et retournant dans son esprit.

Au fil du texte

QUE S'EST-IL PASSÉ ENTRE-TEMPS ?

1. Chant XIII : qu'arrive-t-il au bateau des Phéaciens alors qu'il approche des côtes de Schérie ?

2. En quoi Athéna transforme-t-elle Ulysse ? Relevez tous les éléments de la transformation.

3. Quelles décisions prend Athéna pour aider Ulysse à accomplir sa vengeance ?

4. Chant XIV : Ulysse débarque-t-il en roi chez Eumée ?

5. Qu'annonce Ulysse à Eumée ?

6. Chant XV : qui décide Télémaque à revenir à Ithaque ?

7. Où se rend Télémaque à son arrivée à Ithaque et à quel danger a-t-il échappé ?

8. Chant XVI : qui voit la déesse ? Qui ne la voit pas ?

9. Pourquoi Télémaque ne reconnaît-il pas son père dans un premier temps ?

10. Qui sait qu'Ulysse se cache sous les traits du mendiant à la fin du chant ?

AVEZ-VOUS BIEN LU ?

11. Qui reconnaît Ulysse ? À quels indices comprend-on qu'il l'a reconnu ?

12. Recopier la phrase qui nous renseigne sur la durée de l'absence d'Ulysse.

13. Pourquoi Argos meurt-il à l'arrivée d'Ulysse ? Est-ce vraisemblable ?

14. Que doit faire Ulysse une fois entré dans le palais et pour quelles raisons ?

15. Quelles sont les différentes personnes qui humilient Ulysse, et comment ?

16. Dites comment Ulysse réagit à chaque humiliation. Quel est le trait de son caractère ainsi mis en valeur ?

17. Quels sont les traits de caractère d'Antinoos ?

ÉTUDIER LE VOCABULAIRE

terme péjoratif : **terme destiné à rabaisser ce dont on parle.**

18. Expliquez les expressions imagées : *« fléau des festins »*, *« mots ailés »*, *« propos acides. »*

19. Relevez dans le discours de Mélanthios et d'Antinoos les termes péjoratifs★ désignant Ulysse et Eumée et déduisez-en le reproche fait à Ulysse.

ÉTUDIER UN THÈME : ULYSSE MENDIANT

20. Ulysse joue-t-il bien son rôle de mendiant ? Examinez son aspect, ses gestes, ses réactions aux attaques.

À VOS PLUMES !

21. *« Il agita la queue et coucha ses deux oreilles. »* Ainsi, Homère nous fait voir le chien et comprendre ce qui se passe dans sa tête. Observez les manifestations physiques de trois sentiments : décrivez-les très précisément pour que le lecteur devine de quels sentiments il s'agit.

Chant XVIII

[Jour 38 : les outrages des prétendants]

[Ulysse se fait insulter et provoquer par le mendiant Iros. Les prétendants, heureux d'assister à une bagarre entre gueux, les poussent à se battre. Ulysse est vainqueur et il revient s'asseoir sur le seuil de la grande salle et chacun lui offre de beaux morceaux de viande rôtie. Athéna inspire alors à Pénélope de paraître dans la salle afin que tous l'admirent et lui apportent des présents. Athéna inspire aussi aux prétendants d'insulter Ulysse afin d'exciter encore son désir de vengeance. La nuit venue, Télémaque invite les prétendants à rentrer chez eux.]

Euryclée reconnaît Ulysse.

Chant XIX

[Soir du jour 38 : Pénélope et le mendiant Ulysse]

[Ulysse reste dans la grande salle à méditer la mort des prétendants. Il demande à Télémaque d'enlever toutes les armes. Ce dernier ordonne à Euryclée d'enfermer toutes les servantes, puis, sur les conseils de son père, il va dormir. Pénélope descend alors dans la grande salle interroger le mendiant. Pour la troisième fois, Ulysse se fait passer pour un Crétois, un Crétois qui aurait reçu en sa maison Ulysse, alors sur le chemin de Troie. Il jure aussi à Pénélope qu'Ulysse est bien vivant, qu'il est près d'arriver à Ithaque et qu'il ramène des objets de prix. Pénélope ne le croit pas. Mais, désirant respecter son hôte, elle demande à Euryclée, qui fut la nourrice d'Ulysse, de lui donner le bain.]

[La reconnaissance d'Ulysse par Euryclée]

Elle dit ; la vieille femme cacha son visage dans ses mains, pleura à chaudes larmes et laissa échapper ces plaintes :

5   *« Ulysse, ô mon enfant, je ne t'ai été d'aucun secours. Zeus, assurément, t'a haï plus que tout autre, toi dont le cœur pourtant était*

si respectueux des dieux ! [...] Mais j'obéirai volontiers à la sage
Pénélope, fille d'Icare. je te laverai les pieds, vieillard, autant pour
plaire à ma maîtresse qu'à toi-même, car tu m'as bouleversée. Écoute
10 *bien ce que je vais te dire : de tous les malheureux étrangers qui sont*
venus ici, jamais je n'en ai vu un dont l'allure[1], la voix, la démarche
ressemblent autant à celles d'Ulysse ! »

Ulysse l'avisé lui dit en réponse :

« Vieille femme, tous ceux qui nous ont vus l'un et l'autre affirment
15 *que nous nous ressemblons beaucoup, comme toi-même viens de le*
remarquer judicieusement[2]. »

Il dit ; la vieille femme s'en alla alors chercher un chaudron
brillant pour lui laver les pieds. Elle y versa beaucoup d'eau
froide, puis de l'eau chaude par-dessus. Ulysse, lui, était allé
20 s'asseoir loin du foyer ; il s'était tourné vers l'ombre, craignant soudain qu'en le touchant elle ne reconnût sa cicatrice et que tout fût découvert.

Mais, à peine eut-elle commencé à laver son maître, qu'elle
sentit la cicatrice laissée par la blanche défense d'un san-
25 glier alors qu'Ulysse chassait sur le Parnasse[3] avec les fils
d'Autolycos[4] [...]. Elle palpa[5] la blessure du plat de la main
et la reconnut. Elle lâcha soudain la jambe qui retomba dans
le chaudron. Le bronze retentit, le chaudron bascula et l'eau
se répandit sur le sol. Le cœur de la vieille nourrice se
30 gonfla de joie et de colère à la fois. Ses yeux se mouillèrent
de larmes, et sa forte voix se brisa.

Elle dit à Ulysse en lui prenant le menton :

« C'est donc toi Ulysse, toi mon cher enfant ! Et dire que je n'ai
reconnu mon maître qu'après l'avoir touché de mes mains ! »

---

notes

1. allure : apparence générale.

2. judicieusement : avec intelligence.

3. Parnasse : nom d'une montagne de Grèce.

4. Autolycos : « le loup en personne », grand-père maternel d'Ulysse.

5. palpa : toucha avec la main pour connaître.

35 Elle dit, puis tourna son regard vers Pénélope, désirant lui annoncer que son époux était là. Mais celle-ci ne put ni croiser ce regard ni rien deviner, car Athéna détournait son attention.

De sa main droite, Ulysse saisit la nourrice à la gorge et, de
40 l'autre, l'attira vers lui :

« Nourrice, tu veux donc me perdre ? toi qui m'as nourri au sein ! Je rentre dans ma patrie, après vingt années de longues souffrances. Mais, puisque tu m'as reconnu, puisqu'un dieu l'a voulu, tais-toi donc ! Personne d'autre ne doit l'apprendre dans ce palais !
45 *Autrement, il sera fait comme je te le dis : si un dieu met à ma merci[1] les fiers prétendants, je ne t'épargnerai pas, bien que tu m'aies nourri, quand je tuerai dans mon palais les autres servantes. »*

La nourrice Euryclée lui répondit alors :

« Cher enfant, quel propos a jailli de tes lèvres ? Tu connais la force
50 *de mon âme : je serai ferme comme un roc, dure comme le fer. [...] »*

La vieille femme alors alla à travers la grande salle chercher de l'eau pour le bain, car toute l'eau du chaudron avait été renversée. Elle lui baigna les pieds, puis les enduisit d'huile fine. Ulysse rapprocha son siège du feu, afin de se
55 réchauffer, et cacha sa cicatrice avec ses loques.

[Pénélope alors demande à Ulysse le sens d'un songe qu'elle a fait récemment. Un aigle brisait le cou de ses vingt oies qu'elle aimait à voir manger le grain : c'est le trépas des prétendants qui est ainsi prédit, lui répond-il. Pénélope ne le croit pas. Elle lui demande enfin son avis sur une épreuve qu'elle veut leur proposer : envoyer une flèche à travers douze haches comme savait le faire Ulysse. Il la félicite pour son idée, lui disant que c'est Ulysse lui-même qui gagnera l'épreuve. Puis Pénélope regagne en pleurant ses appartements pour la nuit.]

notes

1. met à ma merci : me livre.

Chant XX

[Nuit du jour 38 et jour 39 : songes et présages]

[Ulysse va se coucher dans l'entrée mais, indigné par l'effronterie des servantes, ne trouve pas le repos. Athéna lui apparaît et lui promet une protection infaillible[1] dans l'accomplissement de sa vengeance, puis elle lui envoie un sommeil réparateur. À l'aube, il entend les pleurs
5 de son épouse qui demande la mort à Artémis. Il se lève alors et, dans la cour, prie Zeus de lui envoyer deux signes : l'un venant de sa maisonnée, l'autre de lui-même. Aussitôt, la foudre retentit et la plainte d'une esclave s'élève vers Zeus pour souhaiter la mort des prétendants. Ulysse est réconforté.
10 Les prétendants arrivent et se mettent au festin servi par Eumée le porcher[2], Philétios le bouvier[3] et Mélanthios le chevrier[4]. Pendant ce temps, on fête Apollon dans la ville. Un prétendant, Ctésippos, lance sur Ulysse un pied de bœuf qu'il esquive avec un rire sardonique[5]. Tous se moquent de Télémaque qui a pris sa défense. Seul, le devin Théoclymène voit la nuit de la mort les envelopper, leur prédit leur fin puis s'en va.]

notes

1. **infaillible :** certaine.
2. **porcher :** gardien des porcs.
3. **bouvier :** gardien de bœufs.
4. **chevrier :** gardien de chèvres.
5. **sardonique :** moqueur et grinçant.

Chant XXI

[Jour 39 : l'épreuve du tir à l'arc]

Athéna, la déesse au–clair–regard, incita[1] alors la fille d'Icare, la sage Pénélope, à proposer aux prétendants l'arc et les haches grises, afin qu'aient lieu, dans la grande salle, le concours et le début du massacre. [...]
Accompagnée de ses servantes, Pénélope alla au fond de la chambre, où le maître avait son trésor : or, bronze et fer bien travaillé. C'est là que se trouvaient son arc recourbé et son carquois[2] rempli de flèches, qui en feraient gémir plus d'un. [...] Elle tendit la main et détacha du clou l'arc avec son étui brillant. Elle s'assit, le posa sur ses genoux et, avec des cris mêlés de larmes, ôta du fourreau[3] l'arc de son seigneur.

Après avoir beaucoup pleuré et sangloté, elle alla dans la grande salle parmi les fiers prétendants. Elle portait l'arc recourbé et le carquois rempli de flèches, qui en feraient

notes

1. incita : amena.   **2. carquois :** étui pour les flèches.   **3. fourreau :** étui protecteur.

gémir plus d'un. Derrière elle, les femmes portaient le coffre contenant les haches.

Quand la-toute-divine eut rejoint les prétendants, elle se tint
20 contre les montants de la salle bien ouvragée[1] et, ramenant contre ses joues son voile brillant, [...] s'adressa sans tarder aux prétendants :

« *Écoutez, prétendants, [...] voici votre épreuve. Je viens vous proposer l'arc du divin Ulysse : celui qui saura le tendre sans effort, et*
25 *d'une flèche traversera ces douze haches, je le suivrai, quittant pour lui ce toit conjugal[2], cette belle demeure regorgeant de biens, dont je garderai toujours le souvenir, même dans mes songes.* »

Elle dit ; puis demanda à Eumée, le divin porcher, de proposer l'arc et les haches grises aux prétendants. Eumée les
30 prit et les offrit en pleurant. Le bouvier Philétios pleura lui aussi dans son coin, quand il vit l'arc de son maître. [...]

Le fort et majestueux Télémaque dit alors :

« *Approchez donc, prétendants ! Venez sans tarder tendre cet arc, que nous vous voyions à l'œuvre ! Moi-même, je vais tenter*
35 *l'épreuve. Si je tends l'arc, si ma flèche traverse ce fer, je n'aurai pas la douleur de voir ma vénérable mère quitter ce foyer pour suivre un autre homme, et je ne resterai pas seul, puisque j'aurai été capable, comme mon père, de vaincre en ce beau concours !* »

Il dit ; puis, s'étant débarrassé de son manteau pourpre[3], il se
40 dressa d'un bond, ôta l'épée qui pendait à son épaule et se mit à creuser un long fossé : il y planta toutes les haches, les alignant au cordeau[4] et buttant de la terre[5] tout autour. Ce fossé suscita[6] l'admiration de tous les Achéens. Télémaque

---

notes

1. ouvragée : sculptée.

2. toit conjugal : maison où vit un couple.

3. pourpre : rouge sombre.

4. les alignant au cordeau : les disposant régulièrement comme en suivant une corde tendue.

5. buttant de la terre : amenant de la terre.

6. suscita : souleva.

alla ensuite se placer sur le seuil pour essayer l'arc : trois fois,
45   il faillit le tendre, tant il avait envie de vaincre ; trois fois, la
force lui manqua, malgré tout son espoir. Il aurait peut-être
réussi son quatrième essai, mais Ulysse lui fit signe et arrêta
son effort.

Le fort et majestueux Télémaque dit alors :
50   « *Hélas ! serai-je faible et lâche à tout jamais ? Suis-je trop jeune
encore pour compter sur ma force [...] ? Mais allons, vous qui êtes
bien plus forts que moi, venez donc essayer cet arc, et mettons un
terme*[1] *à cette épreuve !* »

[...] Le premier à se lever fut le fils d'Œnops, Leiôdès, le
55   prêtre chargé des sacrifices. Il se tenait toujours au fond de
la salle, près d'un beau cratère. Il était le seul à désapprouver
le fol orgueil des prétendants, et faisait à tous des reproches.
Le premier, donc, il prit l'arc et la flèche rapide. Il alla s'installer sur le seuil pour essayer l'arc, mais il ne put le tendre.
60   Ses blanches et délicates mains s'épuisèrent en de vains
efforts. Il dit alors aux prétendants :

« *Amis, ce n'est pas moi qui le tendrai, qu'un autre le prenne ! Mais
cet arc va briser le cœur et l'âme de nombreux princes, s'il est vrai
qu'il vaut mieux mourir que de continuer à vivre sans obtenir ce que
65   nous espérions tous, assemblés ici depuis des jours et des jours !* »

Il dit, et posa l'arc à terre [...].

Fou de colère, Antinoos l'interpella vivement :

« *Leiôdès, quel terrible propos a jailli de tes lèvres ? J'en suis révolté !
Ainsi, parce que tu n'as pas su le tendre, cet arc doit briser le cœur,
70   la vie de nos princes ? N'est-ce pas plutôt que ta vénérable mère n'a
pas su mettre au monde un homme habile à manier l'arc et les
flèches ? Attends un peu, d'autres nobles prétendants vont le tendre,
cet arc !* »

notes
_____

1. terme : fin.

Il dit, et donna l'ordre suivant à Mélanthios, maître-chevrier :

75 *« Vite, Mélanthios, allume un feu dans la salle, près duquel tu pose-*
ras un grand siège couvert de toisons, puis va dans la réserve cher-
cher un grand pain de suif[1], afin que nos jeunes prétendants chauf-
fent l'arc et l'enduisent de graisse ! [...] »

Les jeunes prétendants essayèrent de tendre l'arc ainsi
80 réchauffé, mais ils échouèrent : ils étaient loin d'avoir la force
suffisante !

[Il ne reste plus en lice[2] que les chefs des prétendants : Eurymaque et
Antinoos sortant dans la cour, Ulysse se fait reconnaître d'Eumée et de
Philétios puis il leur donne des instructions. De retour dans la salle,
il voit Eurymaque échouer à l'épreuve de l'arc. Antinoos propose de
différer la suite du concours au lendemain car, prétend-il, ce jour où
l'on fête le grand archer Apollon ne leur est pas favorable.]

Ruminant sa ruse, Ulysse l'avisé dit alors :
« Écoutez, prétendants de l'illustre reine ; [...] donnez-moi cet arc
bien poli : je voudrais essayer la force de mes bras, voir si mes
85 *membres souples ont conservé leur vigueur, ou s'ils ont été domptés*
par les rudesses d'une vie errante. »

Ces mots soulevèrent une vive indignation, car tous crai-
gnaient qu'il ne réussît à tendre l'arc.

Fou de colère, Antinoos lui répondit :
90 *« Misérable étranger, tu as donc perdu la tête ! Il ne te suffit pas*
d'être au festin en notre noble compagnie, de partager nos mets et
d'écouter nos discours ? [...] Reste donc tranquille et bois, sans
chercher à rivaliser avec notre jeunesse ! »

Mais la sage Pénélope lui adressa cette remarque :
95 *« Antinoos, il est indigne, injuste de maltraiter en cette demeure les*
hôtes de Télémaque, quels qu'ils soient ! Crois-tu que cet étranger,

notes
_____

1. suif : graisse de bœuf.   **2. en lice :** en compétition.

s'il tendait l'arc à la force de ses bras, m'emmènerait et ferait de moi
son épouse ? Il n'y songe pas lui-même ! Ne laissez donc pas cette
idée insensée troubler votre esprit, poursuivez votre festin. » [...]

100 Le prudent Télémaque dit en la regardant :
« *Cet arc, ma mère, nul Achéen plus que moi n'a pouvoir d'en*
disposer à sa guise. Personne [...] *ne pourrait s'opposer à ma*
volonté, pas même si je voulais faire don de cet arc à cet étranger.
Mais toi, regagne tes appartements, reprends tes travaux, ta toile, ta
105 *quenouille*[1] *et ordonne à tes servantes de se remettre à l'ouvrage. Cet*
arc est affaire d'hommes, et c'est moi surtout que cela concerne, moi
qui suis maître en cette demeure ! »

Toute surprise par ce discours, Pénélope regagna ses appartements, gardant en son cœur les sages propos de son fils. [...]

110 Or le divin porcher allait porter l'arc à Ulysse, sous les
huées[2] des prétendants dans la grande salle. [...] Puis il
appela la nourrice Euryclée au-dehors :
« *Sage Euryclée, Télémaque t'ordonne de bien fermer les solides*
portes de la salle. Et, si l'une de vous entend du tumulte, des cris
115 *dans notre assemblée d'hommes, elle ne doit surtout pas sortir, mais*
continuer tranquillement son ouvrage. »

Il dit ; et sans qu'un mot s'envolât de ses lèvres, elle alla
fermer les portes de la vaste salle.

Philétios, lui, s'empressa d'aller fermer le portail de la cour.
120 [...] Puis il rentra dans la salle et regarda Ulysse qui maniait
son arc en tout sens et le tâtait pour voir si la corne n'avait
pas été, en son absence, rongée par les vers. [...]

De même qu'un homme qui joue de la cithare et sait
chanter tend sans effort une corde sur la clef neuve, en fixant
125 aux deux extrémités le boyau[3] bien tordu, de même Ulysse

---

notes

1. quenouille : bâton entouré   **2. huées :** cris hostiles.
de la laine qui sera filée.

3. boyau : intestin des
animaux.

n'eut-il aucun mal à tendre le grand arc : de sa main droite, il tira sur la corde qui rendit un beau son, semblable au cri de l'hirondelle. Une peur affreuse saisit tous les prétendants : leur visage changea de couleur. Zeus se manifesta
130 alors par un coup de tonnerre, et Ulysse se réjouit que le fils du rusé Cronos lui eût envoyé ce signe. Il prit une flèche qui était là sur la table ; les autres, restées aux creux du carquois, fondraient bientôt sur les Achéens. L'ayant ajustée au coude de l'arc, il tira la corde et l'encoche[1], sans même se lever
135 de son siège, et envoya la flèche en visant bien droit. Depuis le premier trou jusqu'au dernier, le bronze de la flèche traversa toutes les haches puis ressortit. Ulysse dit alors à Télémaque :

« *Télémaque, tu n'as pas à rougir de ton hôte assis en ta demeure.*
140 *[...] Les prétendants peuvent m'accabler d'injures, j'ai encore toute ma force. Mais le moment est venu de leur offrir un autre festin !*
[...] »

Ulysse (Stéphane Gallet) tendant l'arc (Cie Ecla Théâtre, 1998).

Au fil du texte

QUE S'EST-IL PASSÉ ENTRE-TEMPS ?

1. Au chant XVIII, qui inspire les actions de Pénélope et des prétendants ?

2. Au chant XIX, comment le mendiant gagne-t-il la confiance de Pénélope ?

3. À quoi Euryclée reconnaît-elle Ulysse ? Quels sont les sentiments qu'elle éprouve alors ?

4. Quelle importante décision prend Pénélope ? Quelle étape du récit s'annonce ?

5. Au chant XX, de quelle façon les angoisses d'Ulysse sont-elles apaisées ?

6. Quelles humiliations subit encore Ulysse ?

AVEZ-VOUS BIEN LU ?

7. Qui inspire à Pénélope de proposer l'épreuve de l'arc et dans quel but ?

8. Qui est le premier à tenter l'épreuve de l'arc et pour quelles raisons ? Réussit-il ?

9. Qui essaie ensuite de tendre l'arc ? Pour chacun, notez l'image qu'Homère nous en donne et dites quel est le résultat.

10. À votre avis, pourquoi Antinoos et Eurymaque ne tentent-ils pas l'épreuve tout de suite ?

11. Quelles dispositions sont prises pour la réussite du plan d'Ulysse ?

ÉTUDIER LA GRAMMAIRE

12. Repérez les phrases injonctives★.
Quels personnages donnent des ordres et à qui ?

13. Relevez les verbes exprimant l'ordre.
À quel mode sont-ils le plus souvent ?
Quelle atmosphère cela apporte-t-il à la scène ?

ÉTUDIER L'ÉCRITURE

14. Relevez une proposition subordonnée relative
qui qualifie les flèches et qui est employée deux
fois. Expliquez-en le sens.

ÉTUDIER UN THÈME : LE RÔLE DE L'ARC

15. À quoi voyez-vous que l'arme d'Ulysse est
extraordinaire ?

16. À quel instrument l'arc est-il comparé ?
À qui est comparé Ulysse tendant l'arc ?

ÉTUDIER LA PLACE DE L'EXTRAIT DANS L'ŒUVRE

17. L'élément résolutif★. Au début et à la fin du
chant, quelles expressions informent le lecteur de la
suite des événements ?

18. Donnez trois indices qui montrent que les dieux
sont du côté d'Ulysse.

19. La réussite de l'épreuve par Ulysse.
Qui s'y attend ? Qui ne s'y attend pas ?
Quel en est l'effet sur chacun ?

phrase injonctive : type de phrase qui exprime un ordre, une défense ou un conseil.

élément résolutif : dans une narration, événement ou série d'événements qui permet à l'action de se terminer.

Chant XXII

[Jour 39 : le massacre des prétendants]

S'étant dépouillé de ses haillons, Ulysse l'avisé bondit sur le vaste seuil. Il tenait à la main son arc et le carquois rempli de flèches : il

5 répandit les traits rapides à terre, devant ses pieds, puis s'adressa aux prétendants :

« C'en est fini de ces jeux innocents ! Voyons maintenant si Apollon m'accordera la gloire de viser une cible que personne n'a encore atteinte ! »

10 Il dit, et dirigea sa flèche amère contre Antinoos qui s'apprêtait à lever sa belle coupe en or ciselé[1]. [...] Il avait visé la gorge : la pointe de la flèche traversa la nuque délicate. Antinoos chancela, sa main lâcha la coupe, et du sang épais jaillit de ses narines. D'un coup brusque, son

15 pied renversa la table, et la nourriture se répandit à terre : le pain et les viandes rôties furent souillés[2] de sang.

1. ciselé : minutieusement sculpté.   **2. souillés :** salis.

[Les prétendants cherchent des armes pour venger leur chef mais n'en trouvent pas. Ulysse, alors, se dévoile. Eurymaque essaie de sauver sa vie en rejetant toute la faute sur Antinoos. Ulysse ne lui offre que le combat. La lutte commence. Eurymaque est transpercé par une flèche d'Ulysse. Télémaque abat, de sa lance, Amphinomos puis va chercher des armes au trésor du palais. Ulysse atteint les ennemis de ses traits[1] et s'arme de piques. Cependant, Mélanthios a pris au trésor boucliers et javelines[2] dont les prétendants s'équipent. Mais Eumée et Philétios le neutralisent en l'attachant à une colonne. Athéna encourage Ulysse sous les traits de Mentor[3] puis, changée en hirondelle, fait dévier les piques que lancent les prétendants. Ceux-ci reculent ; leur fin est proche.]

Du côté du sage et subtil Ulysse, on visa dans la troupe des prétendants. Eurydamas fut abattu par Ulysse, le destructeur-de-villes ; Amphimédon, par Télémaque ; Polybe, par le
20 Porcher ; et Ctésippos, par le Bouvier. [...] Ulysse alors s'approcha pour frapper de sa longue lance le fils de Damastor ; Télémaque blessa au ventre Léocrite, fils d'Événor, et sa lance lui traversa tout le corps [...].
Quant à Léiôdès, il s'était jeté aux genoux d'Ulysse pour lui
25 adresser ces paroles ailées :
« Ulysse, je t'en supplie, épargne-moi, aie pitié ! Je te le jure : jamais je n'ai insulté ni outragé tes femmes dans le palais, c'est moi au contraire qui bridais[4] l'insolence des prétendants, quand ils se conduisaient mal. [...] »
30 Mais Ulysse l'avisé lui jeta un regard noir et lui dit :
« Allons ! tu te vantais d'être leur prêtre sacrificateur, et plus d'une

---

notes

1. **traits :** flèches.
2. **javelines :** petits javelots.

3. **Mentor :** habitant d'Ithaque, ami d'Ulysse qui l'a chargé de veiller sur sa maison à son départ pour Troie.

4. **bridais :** freinais.

fois tu as dû, dans tes prières, me refuser la douceur du retour, dans l'espoir de me prendre ma femme et d'en avoir des fils ! Non ! tu n'échapperas pas à la mort cruelle. »

35 Il dit, puis saisit dans sa forte main l'épée qu'Agélaos, en mourant, avait laissé tomber à terre, et la lui plongea dans la nuque : sa tête alla rouler dans la poussière.

L'aède Phémios, qui chantait contre son gré pour les prétendants, cherchait lui aussi le moyen de fuir la noire mort.

40 [...] Il alla se jeter aux genoux d'Ulysse et lui adressa ces paroles ailées :

« Ulysse, je t'en supplie, épargne-moi, aie pitié ! Tu seras plus tard tourmenté par le remords[1], si tu tues l'aède qui chante pour les dieux et les hommes. [...] »

45 Il dit, et le fort et majestueux Télémaque l'entendit. Vite il vint trouver son père :

« Arrête, ne frappe pas cet innocent ! Épargnons aussi le héraut Médon, qui toujours, dans notre palais, sut prendre soin de mes jeunes années. Puisse-t-il ne pas avoir été tué par le bouvier ou le

50 *porcher ! Puisse-t-il avoir échappé à ta fureur ! »*

Il dit, et le sage Médon l'entendit : il s'était blotti sous un fauteuil et dissimulé dans une peau de vache fraîchement écorchée, évitant ainsi la noire mort. [...]

Ulysse l'avisé dit en souriant :

55 *« [...] Sortez donc de cette salle, l'illustre aède et toi ! Allez vous asseoir dans la cour, à l'abri du carnage, tandis que j'accomplis ici le reste de ma besogne[2]. »*

Il dit ; les deux hommes sortirent de la salle et allèrent s'asseoir sur l'autel[3] du grand Zeus, mais ils jetaient partout

60 des regards inquiets, tant ils redoutaient la mort !

---

notes

1. remords : honte d'avoir mal agi.

2. besogne : travail à accomplir.

3. autel : table de pierre destinée aux sacrifices.

Ulysse, lui aussi, regardait partout dans la salle, vérifiant si quelque survivant ne s'était pas caché pour éviter la noire mort. Mais il les vit tous étendus dans le sang et la poussière, en tas, comme des poissons que des pêcheurs, au creux d'un
65 rivage, ont tirés de la mer grise-d'écume, dans les multiples mailles de leurs filets : ils gisent[1] sur le sable, regrettant les vagues de la mer, tandis que l'ardeur du Soleil leur ôte leur dernier souffle. De la même façon, les prétendants gisaient tous entassés les uns sur les autres.

[Ulysse ordonne ensuite à Euryclée d'amener les douze servantes qui ont trahi leurs maîtres. Elles doivent sortir les cadavres des prétendants puis nettoyer à grande eau la salle. Elles sont ensuite emmenées dans la cour et Télémaque les exécute par pendaison. Mélanthios aussi est cruellement mis à mort au même endroit. Enfin, Ulysse purifie la salle en faisant brûler du soufre et les servantes qui sont restées fidèles lui font fête.]

Le massacre des prétendants.
Motif d'un vase grec antique.

notes
_____

1. ils gisent : ils sont étendus.

Au fil du texte

AVEZ-VOUS BIEN LU ?

1. Quelle impression nous donne Ulysse dans les premières lignes (1 à 9) de ce chant ? Justifiez votre réponse.

2. Qui est le premier atteint par Ulysse et pourquoi, selon vous ?

opposant :
tout objet ou être vivant qui s'oppose à l'action du héros.

adjuvant :
tout objet ou être vivant qui vient en aide au héros.

3. Quelle image d'Ulysse nous donne le meurtre d'Antinoos ?

4. Dans la description de la mort d'Antinoos, quelle est, pour vous, l'image la plus terrible et pourquoi ?

5. Quels sont les opposants★ et les adjuvants★ à Ulysse ? Le rapport de forces vous paraît-il équilibré ?

6. Quel sort particulier est réservé à Mélanthios ?

7. Qui Ulysse accepte-t-il d'épargner ? Pourquoi ?

8. Où s'était caché le héraut Médon ? Qu'en pensez-vous ?

9. Où vont se réfugier, en sortant de la salle, l'aède Phémios et le héraut Médon ? Pourquoi ?

ÉTUDIER LE DISCOURS

10. La situation de communication★ : dans les paroles de Léiôdès et de Phémios (l. 26 à 44), indiquez ce qui montre leur position de suppliants.

11. Dans les paroles d'Ulysse (l. 55 à 57), montrez qu'il est en position dominante.

À VOS PLUMES !

12. Si vous aviez à filmer ou à dessiner Ulysse et Antinoos (l. 1 à 16), puis Ulysse et Leiôdès (l. 24 à 37), quels plans utiliseriez-vous pour chacun ? (Vous trouverez un rappel des différents types de plans en marge, page 23.)

13. À quoi sont comparés les prétendants morts ? Que pensez-vous de cette comparaison ?

LIRE L'IMAGE

14. Dans la représentation du massacre des prétendants (p. 123), comment le peintre a-t-il montré la faiblesse des prétendants face à Ulysse ?

situation de communication : circonstances dans lesquelles s'inscrit la communication et qui permettent de savoir :
– qui parle (locuteur),
– à qui on parle (destinataire),
– dans quel but on parle,
– où et quand on parle.

Chant XXIII

[Jours 39 et 40 : la reconnaissance d'Ulysse par Pénélope]

[Euryclée va éveiller Pénélope et lui annonce le retour et la vengeance d'Ulysse, le faux mendiant. Incrédule[1], Pénélope croit que le meurtre des prétendants est l'œuvre d'un dieu. Euryclée l'entraîne dans la grande salle. Mise en présence d'Ulysse, elle se refuse à le reconnaître et se fait reprocher son insensibilité par Télémaque. Toujours rusée, elle souhaite qu'Ulysse lui donne une preuve connue d'eux seuls.

Ulysse s'entretient avec son fils ; il craint que les nobles familles de l'île ne cherchent à venger la mort de leurs enfants. Il met en scène les fausses noces de Pénélope accompagnées de musique et de danses afin de tromper le voisinage. Il entre ensuite dans ses appartements.]

notes

1. **incrédule :** ne croyant pas.

Dans le palais, l'intendante[1] Eurynomé baigna Ulysse au-grand-cœur. Après l'avoir frotté d'huile fine, elle le revêtit d'une belle tunique et d'un manteau, tandis qu'Athéna embellissait son visage [...]. De même qu'un habile artisan,
5   formé à son métier par Héphaïstos et Pallas Athéna, fait couler de l'or autour de l'argent, réalisant ainsi des œuvres de toute beauté, de même la déesse répandait la grâce sur la tête et les épaules d'Ulysse. Au sortir du bain, il avait l'apparence d'un Immortel.
10   Il revint dans la salle s'asseoir sur le même fauteuil, en face de son épouse, à laquelle il s'adressa ainsi :

« *Insensée*[2] *! jamais les dieux de l'Olympe ne conçurent nature féminine plus insensible que la tienne ! [...] Mais allons, nourrice, prépare-moi un lit : je coucherai seul, car vraiment le cœur de cette*
15   *femme est dur comme le fer ! »*

La sage Pénélope lui répondit :

« *Non, insensé, je ne te considère pas avec arrogance, indifférence ou mépris. Je sais bien qui tu étais, quand tu quittas Ithaque sur ton navire aux-longues-rames. Mais allons, Euryclée, va lui préparer une*
20   *couche moelleuse : de la chambre aux-solides-murailles, sors le lit qu'il avait lui-même fabriqué, dresses-en les cadres dehors et garnis-le de toisons, de couvertures et de draps moirés*[3]. »

Telle était l'épreuve à laquelle elle voulait soumettre son mari. Celui-ci, brûlant d'indignation, adressa ces propos à sa
25   fidèle épouse :

« *Femme, tes paroles me blessent cruellement. Qui donc a déplacé mon lit ? L'homme le plus habile n'y parviendrait pas sans le secours d'un dieu qui, seul, pourrait le transporter ailleurs. Car ce lit, que j'ai moi-même façonné avec art, sans l'aide de personne,*

---

notes

1. intendante : personne chargée de l'approvisionnement du palais.

2. insensée : qui a perdu la raison.

3. moirés : qui ont des parties mates et des parties brillantes.

30 présente une caractéristique bien particulière. Dans l'enceinte[1] du palais, avait poussé, haut et dru[2], un olivier verdoyant, qui avait l'épaisseur d'une colonne. Je construisis, tout autour, les murs de notre chambre, en blocs bien serrés. Puis, après avoir élevé le toit et fixé la porte aux-panneaux-solidement-ajustés, je coupai la fron-
35 daison[3] de l'olivier verdoyant et équarris[4] le tronc jusqu'à la racine. Je mis toute mon adresse et mon application à le polir avec un outil en bronze, puis à l'aligner au cordeau[5] pour en faire un pied de lit. Ayant percé les autres pièces de bois avec une tarière[6], je les ajustai sur cette souche que je pris comme premier montant, et fis ainsi un
40 lit, sur lequel je plaquai de l'or, de l'argent et de l'ivoire. Pour finir, j'y tendai des sangles[7] de cuir, d'un rouge éclatant. Voilà la caracté-ristique dont je te parlais. Mais j'ignore si ce lit est toujours à sa place, ou si, pour le déplacer, on a coupé la souche de l'olivier. »

Il dit ; et Pénélope sentit faiblir ses genoux et son cœur, car
45 elle avait reconnu le signe distinctif qu'Ulysse venait de lui détailler. Fondant en larmes, elle courut se jeter à son cou et lui dit, en couvrant son visage de baisers :

« Ne sois plus en colère contre moi, Ulysse, toi qui, toujours, fus le plus sage des hommes. Notre infortune nous vient des dieux. Il leur
50 déplaisait que nous restions l'un à côté de l'autre, qu'ensemble nous profitions de notre jeunesse et atteignions le seuil de la vieillesse. Mais ne me blâme pas[8], ne m'en veux pas si je ne t'ai pas mani-festé ma joie dès que je t'ai vu. J'avais toujours, au fond de moi, la crainte de voir quelqu'un venir ici pour m'abuser de belles paroles :
55 il y a tant de gens qui nourrissent de mauvais desseins[9] ! [...] Mais tu as su décrire la caractéristique bien particulière de notre lit, que

notes

1. dans l'enceinte : à l'intérieur.

2. dru : vigoureux.

3. la frondaison : l'ensemble du feuillage.

4. équarris : rabotai.

5. cordeau : corde que l'on tend pour obtenir une ligne droite.

6. tarière : instrument qui sert à percer le bois.

7. sangles : larges bandes

destinées ici à supporter le poids du corps.

8. ne me blâme pas : ne me critique pas.

9. desseins : projets.

personne d'autre ne connaissait, à part toi, moi et une seule servante,
Actoris, que m'offrit mon père quand je vins ici, et qui gardait les
portes de notre chambre aux-épaisses-murailles. De cette façon tu as
60 *convaincu mon cœur, quelque cruel qu'il soit. »*

Elle dit ; et ces paroles accrurent chez Ulysse le besoin
d'épancher ses larmes : il pleurait, serrant dans ses bras sa
femme fidèle, sa merveilleuse compagne.

Grande est la joie qu'éprouvent les naufragés à la vue de la
65 terre ferme, alors que Poséidon a brisé sur les flots leur solide
vaisseau, sous la violence du vent et des vagues. Seuls,
quelques-uns échappent à la mer grise d'écume et nagent
jusqu'au rivage : leur peau est rongée par l'eau salée, mais ils
sont fous de joie, car ils foulent[1] le sol et voient la fin de leurs
70 malheurs. De même, quel bonheur pour Pénélope de revoir
son mari ! Aussi ne pouvait-elle détacher ses bras blancs de
son cou !

L'Aurore aux-doigts-de-rose les aurait surpris là, en train
toujours de sangloter, sans l'idée qu'eut Athéna, la déesse
75 au-clair-regard : elle allongea la nuit parvenue à son terme,
et retint l'Aurore au-trône-d'or au bord de l'Océan, lui
interdisant d'atteler ses rapides coursiers[2] qui vont porter
la lumière aux hommes [...].

[Ulysse révèle à Pénélope la dernière épreuve annoncée par Tirésias
(chant XI) et qu'il devra subir : errer de ville en ville, une rame à l'épaule,
jusqu'en un pays où nul ne connaît la mer puis sacrifier à Poséidon
avant de repartir chez lui. Les deux époux gagnent ensuite leur
chambre. Ils se confient alors les malheurs qu'ils ont endurés. À l'aube,
Ulysse, Télémaque, Eumée et Philétios s'arment et se dirigent hors de la
ville vers l'habitation de Laërte.]

notes

1. ils foulent : ils pressent
le sol en marchant.

2. coursiers : grands et beaux
chevaux.

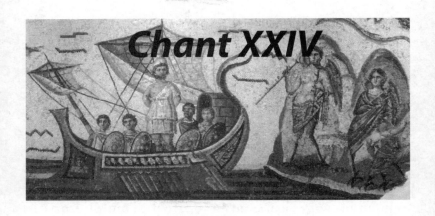

Chant XXIV

[Jour 40 : la reconnaissance d'Ulysse par Laërte]

[Conduits par Hermès, les fantômes des prétendants franchissent l'Océan et pénètrent aux Enfers. L'un d'eux, Amphimédon, conte à l'ombre d'Agamemnon la ruse de Pénélope et la vengeance d'Ulysse.

Cependant, Ulysse atteint le domaine de son père Laërte et trouve ce dernier, vieilli et misérable, en train de bêcher dans son verger. Il se fait passer pour un étranger jeté par les flots sur l'île d'Ithaque et lui conte qu'il a accueilli Ulysse en sa maison quatre ans auparavant. Devant le chagrin de son père, il cesse ses mensonges et se fait connaître.

La mort des prétendants enfin connue de leur famille, le père d'Antinoos, Eupithès, pousse l'assemblée du peuple à la vengeance. Une partie des assistants court aux armes. Devant la maison de Laërte, les deux camps s'affrontent. Athéna guide la lance de Laërte sur Eupithès qui succombe puis, poussant un cri, elle arrête le combat ; les assaillants[1] refluent vers la ville. Ulysse, sur les conseils de la déesse, renonce à la poursuite et fait la paix avec son peuple.]

notes
1. **assaillants :** agresseurs.

Retour sur l'œuvre

1. Complétez ce résumé à trous de l'*Odyssée*.

Alors que .... est au bout du monde, une .... des dieux a lieu. .... obtient de Zeus qu'........, après .... ans d'absence, puisse enfin rentrer chez lui, à .... Elle aidera son fils, ..., à partir chercher des nouvelles de son père chez .... et chez .... Hermès est envoyé chez ...., auprès de qui Ulysse vit depuis .... ans, et lui ordonne de le laisser partir. Ce dernier construit un ...., et après vingt jours de mer, atteint l'île des Phéaciens où il est accueilli par ...., fille du roi .... Lors d'une soirée organisée en son honneur, ... fait le récit de ses aventures depuis la fin de la .... :

– chez les Kikones où, après avoir pillé la ville, il perdit six de ses compagnons ;
– chez les ...., mangeurs de lotos qui fait oublier le jour du retour ;
– chez ...., le ...., qui dévora .... de ses compagnons, mais dont il creva l'........ après l'avoir enivré ;
– chez ...., le dieu des vents, qui essaya de l'aider en enfermant tous les .... contraires dans une outre ;
– dans l'île d'Aiaié où .... de ses compagnons furent transformés en .... par la nymphe .... ;
– au pays des Morts où le devin .... lui prédit son avenir ;
– comment il put entendre sans risque les paroles enjôleuses des ...., échapper à ...., mais non à ...., qui dévora .... de ses compagnons ; comment ses compagnons périrent tous après avoir passé un mois sur l'île du ...., parce qu'ils avaient mangé ses ....

Après avoir entendu ses récits, les Phéaciens transportent .... à .... Transformé par .... en vieillard, Ulysse se rend chez ...., le porcher fidèle, où il se fait reconnaître de .... qui est de retour. Ulysse va dans son .... Le lendemain, ... propose l'épreuve de .... pour distinguer celui qu'elle prendra pour ....

Télémaque dispose alors douze .... Les .... essaient, mais seul .... est capable de .... l'arc et sa .... traverse toutes les haches. Alors, aidé de ...., Eumée, Philétios et surtout de la déesse ...., ... tue tous les .... le soumet à la dernière épreuve : lui révéler la particularité de leur lit. Enfin convaincue, Pénélope se jette dans ses bras.

2. Qui sont les différents narrateurs de l'*Odyssée* ? Complétez les phrases suivantes avec les noms proposés : Hélène, Homère, Ménélas, Ulysse, l'aède Démodokos, Protée. Vous préciserez aussi dans quels chants ils interviennent.

a) C'est ... qui raconte les aventures de Télémaque dans les chants ... .

b) C'est ... qui raconte l'épisode du cheval de Troie dans le chant ... et c'est .... dans le chant ... .

c) C'est ... qui raconte comment Ulysse, déguisé en mendiant, s'est introduit dans Troie dans le chant ... .

d) C'est ... qui raconte le retour d'Agamemnon dans le chant ... .

e) C'est ... qui raconte ses propres aventures avant son arrivée chez Alkinoos, dans les chants .... .

f) C'est ... qui raconte le massacre des prétendants dans le chant ... .

3. Retrouvez, pour chacun des vers formulaires suivants (*cf.* p. 147), au moins deux endroits où il est employé. Vous préciserez le numéro des chants et les pages.

a) « *s'informer du retour de son père et s'acquérir bonne renommée parmi les hommes* » : chants ..., pages ... .

b) « *une fois baignés et frottés d'huile par des servantes,*

puis revêtus d'une tunique et d'un épais manteau de laine,
ils revinrent s'asseoir » : chants ..., pages ... .
c) « Quand ils eurent satisfait leur soif et leur appétit... » :
chants ..., pages ... .
d) « Ils font blanchir l'écume de la mer sous les coups répétés
de leurs rames » : chants ..., pages ... .
e) « Le cœur affligé, nous reprîmes la mer : nous étions en vie,
mais tristes d'avoir perdu nos compagnons » : chants ..., pages ... .

4. Au fil des chants, Athéna intervient sous
différentes apparences. Reliez chacun des chants à
l'apparence qu'elle y prend et au rôle qu'elle y joue
(plusieurs réponses possibles pour un même chant).

Chant I •

Chant III •

Chant VI •

Chant VII •

Chant VIII •

Chant XIII •

Chant XVI •

Chant XXI •

• Elle se rend auprès de Nausikaa endormie comme un souffle de vent, et prend l'apparence d'une amie de la princesse pour lui conseiller d'aller laver le linge.

• C'est une jeune fille portant une cruche qui guide Ulysse dans la cité des Phéaciens.

• Chez Eumée, sous les traits d'une femme grande et belle, elle est reconnue seulement par Ulysse et les chiens. Elle rend à Ulysse sa noble apparence pour qu'il soit reconnu de Télémaque.

• C'est Mentès qui convainc Télémaque de provoquer une assemblée et de partir.

• Changée en hirondelle, elle dévie les coups des prétendants.

• Elle s'envole comme un oiseau.

• C'est un jeune berger qui reçoit Ulysse à Ithaque, le renseigne, lui insuffle la force et l'audace nécessaires pour le massacre des prétendants, et le transforme en vieillard.

• C'est Mentès qui conduit Télémaque chez Nestor, puis c'est un vautour qui s'envole.

• C'est un jeune Phéacien qui va marquer le but atteint par le disque lancé par Ulysse.

5. Reliez chaque épithète homérique (*cf.* p. 147) au nom de personnage ou de divinité qui convient.

Personnages	Épithètes
Athéna • *(3 épithètes)*	• à-l'âme-si-endurante • azurée • à-la-voix-retentissante • l'homme-à-l'esprit-inventif • aux-belles-boucles
aurore • *(2 épithètes)*	• dieu-des-sombres-nuées • la déesse-au-clair-regard • aux-doigts-de-rose, fille-du-matin • grande-gloire-des-Achéens • déesse, fille de Zeus
mer • *(6 épithètes)*	• divin et subtil • poissonneuse • qui-tient-l'égide • pourvoyeuse-de-butin • aux-mauves-reflets
Ulysse • *(8 épithètes)*	• l'assembleur-des-nuées • inféconde • égal-aux-dieux • couleur-de-vin • au-grand-cœur
Zeus • *(4 épithètes)*	• divin • l'endurant • vaste

6. L'épopée mêle les éléments suivants : dialogues et monologues ; philtres et baguettes magiques ; descriptions de coutumes ; dieux ; aventures ; récits de batailles historiques. Dans quel type de livre trouve-t-on généralement chacun de ces éléments ?
a) un conte de fées : ...   *d)* un livre d'histoire : ...
b) un roman d'aventures : ... *e)* un livre documentaire : ...
c) une pièce de théâtre : ...   *f)* un récit mythologique : ...

Schéma narratif

L'*Odyssée*, c'est l'histoire du retour d'Ulysse à Ithaque (durée : 10 ans)
après la guerre de Troie (durée : 10 ans)

Homère ne nous raconte que les 40 derniers jours de ce retour

Des récits nous emmènent dans de longs retours en arrière

• au temps de la guerre de Troie

Ulysse déguisé en mendiant — *Hélène raconte*

le cheval de Troie — *Ménélas raconte*

• pendant les dix années où Ulysse est retenu loin d'Ithaque

Démodokos chante
Ulysse raconte

Chant IX : Kikones, Lotophages, Cyclopes
Chant X : Éole, Lestrygons, un an chez Circé
Chant XI : descente aux Enfers
Chant XII : Sirènes, Charybde et Scylla, île du Soleil, sept ans chez Calypso

1. Jours 1 à 6
Chants I à IV
Le voyage de Télémaque chez Nestor, puis chez Hélène et Ménélas.

2. Jours 7 à 35
Chants V à XI
Le voyage d'Ulysse de l'île de Calypso à l'île des Phéaciens.
Séjour chez Alkinoos.

3. Jours 36 à 40
Chants XIII à XXIV
Le retour d'Ulysse à Ithaque :
– épreuve de l'arc
– massacre des prétendants
– reconnaissance de Pénélope

Il était une fois Homère

IL ÉTAIT UNE FOIS UN AÈDE...

Il était une fois, il y a très longtemps, environ deux mille huit cents ans, un aède qui chantait les récits de la guerre de Troie et les aventures du retour d'Ulysse dans son royaume d'Ithaque. Un aède, c'était un poète et un musicien. Il y en avait beaucoup à cette époque : ils voyageaient et ils étaient reçus dans les grandes maisons et chez les rois.

Pendant les banquets, assis près du feu qui brûlait au centre de la grande salle, ils chantaient, en s'accompagnant d'une cithare ou d'une lyre, les aventures des héros et des dieux que tous, autour d'eux, connaissaient.

À retenir

aède : poète et musicien qui chante en s'accompagnant d'une cithare ou d'une lyre.

C'ÉTAIT UN AÈDE GÉNIAL, LE DIVIN HOMÈRE

L'un d'eux – il s'appelait sans doute Homère – inventa de si beaux textes qu'on oublia le nom de tous ceux qui l'avaient précédé. On imagina même, tant sa poésie était forte, qu'il devait être un descendant d'Orphée, ce dieu qui charmait les bêtes sauvages et faisait danser les arbres et les pierres, aux sons de sa lyre.

On raconte qu'il était aveugle comme l'aède Démodokos de l'*Odyssée* et le devin Tirésias.

IL ÉTAIT NÉ À...

De très nombreuses villes se disputèrent l'honneur de l'avoir vu naître, en particulier Smyrne en Turquie et

Chios. La plus vraisemblable est l'île de Chios. En effet, à Chios ont vécu les Homérides. C'était une famille de rhapsodes, ces « couseurs de vers » qui connaissaient parfaitement tous les mythes divins et les règles de la poésie rituelle. Ils composaient et chantaient les hymnes en l'honneur des dieux et des héros lors des cérémonies religieuses. Ils se disaient les « fils d'Homère », les gardiens de sa poésie. L'un d'eux signait même ses œuvres « l'Aveugle de Chios », c'est-à-dire Homère. Il faut dire qu'en Grèce, alors, il était courant qu'un fils ou un petit-fils reprît le nom d'un père ou d'un grand-père...

Dates clés

Fin du VIIIe, début du VIIe siècle av. J.-C. : date probable de l'existence d'Homère.

VIe siècle av. J.-C. : Pisistrate, premier « éditeur » d'Homère.

AU COURS DES SIÈCLES, LES TEXTES DE L'*ILIADE* ET DE L'*ODYSSÉE* FURENT SENSIBLEMENT MODIFIÉS...

Très peu de gens savaient lire et écrire. Il n'y avait, bien sûr, pas d'imprimerie. Les connaissances étaient transmises oralement et les textes écrits étaient peu nombreux, recopiés à la main, avec forcément des variations. Nous savons seulement que c'est au VIe siècle avant Jésus-Christ que les récits de l'*Iliade* et de l'*Odyssée* furent fixés officiellement par écrit, à la demande de Pisistrate et de son fils Hipparque. Le tyran Pisistrate régnait à Athènes. Son père l'avait appelé Pisistrate, comme le fils d'un héros de l'*Iliade*, Nestor, le vieux maître des chars, pour l'apparenter sans doute à cette famille divine. Afin que tout le monde connaisse son ancêtre mythique et chante sa gloire, Pisistrate ordonna que les récits de l'*Iliade* et de l'*Odyssée* soient réunis dans un texte officiel qui serait dit par les rhapsodes à l'occasion du grand festival des Panathénées. Ainsi la gloire de Nestor, héros de l'*Iliade*, rejaillirait sur lui. Et ce travail fut fait par les Homérides. Le papyrus, nouvellement importé d'Égypte en Grèce, permit aux scribes de recopier le texte en plusieurs exemplaires et de lui faire traverser les siècles jusqu'à nous. Mais, l'on ne saura sans doute jamais les transformations qui furent alors apportées à l'œuvre...

HOMÈRE, UN GÉNIE INSAISISSABLE...

Qu'importe qu'Homère toujours se cache ! Le texte de l'*Odyssée* est une œuvre de génie. Il est là, tout vibrant des terribles tempêtes déclenchées par Poséidon, illuminé par la beauté de Nausikaa, tout imprégné du parfum des dieux...

Bateaux (520-510 av. J.-C.) représentés sur une coupe attique. Musée du Louvre.

Homère et son temps

ET L'ÉCRITURE GRECQUE NAQUIT

Il est difficile de savoir à quelle époque le ou les compositeurs de l'*Odyssée* ont élaboré ce long poème de douze mille vers que nous connaissons.

En tout cas, la création de l'œuvre est certainement liée à l'apparition d'un outil révolutionnaire : l'écriture. Sans doute pouvait-on, oralement, « coudre ensemble » des poèmes très anciens contant des navigations aventureuses, mais il a fallu utiliser l'écriture pour donner à l'*Odyssée* une construction aussi solide et harmonieuse. À l'époque, on vient de la redécouvrir. Elle est fort utile pour consigner les échanges commerciaux que les Grecs entretiennent, notamment avec les Phéniciens dont ils ont emprunté l'alphabet.

Cet alphabet permet de transcrire chaque son-consonne par un signe ; les Grecs y ajoutent les sons-voyelles pour le perfectionner.

L'écriture permet à l'auteur d'établir une chronologie précise des épisodes et de ne jamais se perdre dans leur construction complexe. Les caractères des personnages, aussi, sont si bien traduits et avec une telle unité que l'on est tenté de penser qu'un seul poète en a tracé les traits les plus marquants.

Dates clés

IXe siècle av. J.-C. : naissance de l'écriture grecque.

Entre 750 et 650 av. J.-C. : composition de l'*Odyssée*.

QUEL MONDE PEUT AVOIR CONNU HOMÈRE ?

Il est difficile de connaître le siècle d'Homère. Cependant, fixons une période : la plus fréquemment retenue est le VIIIᵉ siècle avant Jésus-Christ. L'*Odyssée* s'inscrit bien dans ce temps.

En effet, chantées au son de la cithare pendant les grandes fêtes religieuses, les navigations d'Ulysse trouvent un auditoire passionné parmi les Grecs venus de nombreuses régions. À cette époque, ces hommes entreprenants ont commencé à sillonner la mer pour fonder des colonies, comme en Italie ou en Sicile.

Le monde qu'ils connaissent s'agrandit. Fascinés par les terres inconnues, ils explorent les extrémités de la Méditerranée occidentale (Espagne, Gaule), près des colonnes d'Héraklès (actuel détroit de Gibraltar), à la recherche des métaux. Ils font du commerce avec l'Égypte et s'aventurent dans les pays du Nord, sur les bords de la mer Noire.

Les Grecs aiment aussi s'adonner à la fureur du pillage sur les côtes des Barbares. Écoutez Nestor accueillant Télémaque : « *Naviguez-vous pour quelque négoce ou allez-vous à l'aventure, comme des pirates qui, au péril de leur vie, vont porter malheur en terre étrangère ?* » C'est donc un frère que les Grecs reconnaissent en Ulysse le marin.

Le personnage d'Ulysse et les autres héros de l'œuvre plaisent aussi aux puissants de l'époque. Ceux-ci aiment à faire remonter l'existence de leur cité à un héros fondateur, sorte de surhomme aux qualités exceptionnelles. Ainsi, l'*Odyssée* fait renaître ce passé fabuleux à travers les exploits d'hommes extraordinaires auxquels les aristocrates s'identifient, comme, plus tard, au VIᵉ siècle avant Jésus-Christ, le tyran d'Athènes, Pisistrate, qui s'en servira pour sa propagande, en faisant éditer le texte.

Le temps de l'Odyssée

L'ODYSSÉE, UN LIVRE D'HISTOIRE ?

L'*Odyssée* situe, dès le début, les aventures d'Ulysse après un événement considéré comme bien réel par les Grecs : la guerre de Troie.

Les Anciens plaçaient cette guerre vers 1200 avant Jésus-Christ, soit au moins cinq cents ans avant Homère. Cette épopée nous rappelle que les chefs de l'expédition contre Troie étaient de puissants rois achéens, vivant dans leurs magnifiques palais du Péloponnèse : Nestor à Pylos-des-Sables, Ménélas à Sparte-Lacédémone, le malheureux Agamemnon à Argos-Mycènes (voir p. 18).

Au siècle dernier, l'archéologue Schliemann a fouillé les sites de Troie et de Mycènes ; dans les tombes royales de Mycènes, il a cru retrouver des objets décrits par Homère, comme le casque d'Ulysse.

Alors Homère est-il historien ? Nous décrit-il la vie réelle des hommes du deuxième millénaire lorsqu'il nous parle de la cour du roi Ménélas, des occupations du porcher d'Ulysse ou de ses servantes ?

L'ODYSSÉE N'EST PAS VRAIMENT UN LIVRE D'HISTOIRE...

Hélas, archéologues et savants du xxᵉ siècle ont détruit la belle illusion de Schliemann : Homère ne dépeint pas cette brillante civilisation mycénienne quand il nous fait pénétrer dans les palais de Ménélas ou d'Ulysse, et il ne nous apprend rien sur ce qui s'est passé à Troie.

Certes, Troie a bien existé à l'époque mycénienne, mais

elle n'était pas, alors, cette grande cité aux murailles divines capables de résister à dix ans de siège. Tout juste un petit bourg sans palais ni trésor.

Certes, elle a bien été détruite entre 1230 et 1200 avant Jésus-Christ, mais quelle fut la cause de sa destruction violente ? Peut-être un raid d'envahisseurs, mais peut-être simplement un incendie car on n'a trouvé aucun objet, aucun document permettant d'attribuer sa fin à des envahisseurs mycéniens.

Par ailleurs, que de différences entre la vie à Ithaque et celle des rois de l'époque mycénienne ! Le palais d'Ulysse semble bien modeste, comparé à ceux d'où l'on contrôlait le pays. L'autorité d'Ulysse et celle de son fils sont contestées par de jeunes nobles impétueux ; les rois mycéniens, eux, détenaient une puissance absolue. Le monde d'Ulysse ne connaît pas l'écriture, alors qu'à Mycènes on a découvert de nombreuses tablettes gravées d'une écriture en grec très ancien, le linéaire B.

Quel est donc, alors, cet univers dans lequel évolue Ulysse ?

Dates clés

1600 à 1200 av. J.-C. : civilisation mycénienne.

Vers 1200 av. J.-C. : guerre de Troie.

De 1200 à 800 av. J.-C. : « âges obscurs ».

... C'EST AUSSI UN LIVRE D'HISTOIRES FABULEUSES

Homère savait que les rois mycéniens habitaient d'imposants palais, mais rien de plus ; il savait que l'on s'affrontait sur des chars de combat, mais il en ignorait l'utilisation.

Pour combler ces manques et faire revivre glorieusement les temps anciens, Homère recourt à l'imagination. La vie raffinée que mène Ménélas dans son palais est décrite en détail. Il le présente comme un vrai chef de guerre qui, tel Ulysse, a conquis la gloire à Troie et ramené son épouse Hélène dans son foyer. Ce que le poète met sous les yeux de son public, c'est un âge des héros, personnages impressionnants, souvent confrontés à des êtres surnaturels ou étranges (Sirènes, Cyclopes). Le temps d'Ulysse n'est pas celui de l'Histoire.

Pourtant, les historiens n'ont pas abandonné leurs recherches et certains affirment qu'Homère place les aventures de son héros sur une toile de fond qui coïncide avec la fin d'une période appelée « les âges obscurs », siècles intermédiaires d'où l'écriture avait disparu. En ces temps qui précèdent l'âge des cités, des rois guerriers gouvernent leur domaine, n'hésitent pas à prendre la mer et à piller les pays étrangers pour obtenir la gloire. Ils aiment aussi créer des liens d'amitié avec certains peuples grâce au rite très respecté de l'hospitalité et à des échanges de cadeaux.

Ce monde, suffisamment éloigné des auditeurs d'Homère, crée l'illusion d'une époque très lointaine et fabuleuse où dieux et mortels pouvaient se côtoyer. L'*Odyssée* est une reconstitution poétique de temps inconnus ; elle offre un monde composé d'éléments de diverses origines, auquel le poète a su donner une unité.

LES ROUTES COMMERCIALES À L'ÉPOQUE DE L'ODYSSÉE

L'Odyssée, une épopée

AUX ORIGINES DE L'ÉPOPÉE : L'AÈDE

Si nous connaissons un peu les commencements de l'épopée, c'est grâce à Homère qui les évoque dans l'*Odyssée*. En effet, lors des grandes fêtes que donnaient les puissants de l'époque, on se réunissait pour assister aux danses et aux jeux de lutte, de course et de lancer. C'est là aussi qu'on écoutait chanter l'aède. Comme Démodokos, reçu dans la grande salle du palais du roi Alkinoos (voir chant VIII, p. 48), l'aède était convié à partager le festin que le roi offrait à ses nombreux invités. Puis il se mettait à chanter en s'accompagnant de la cithare.

DES RÉCITS CONNUS DE TOUS

Il chantait, il mimait aussi un peu, sans doute, sur un rythme familier, des récits qui enflammaient les esprits : récits des exploits des guerriers lors de la guerre de Troie, d'actes de pillage, de naufrages, récits des aventures des héros et des dieux, rapportés, transformés, amplifiés par les navigateurs venus des pays qui bordaient tout le bassin méditerranéen, Phénicie, Chaldée, Crète, Chypre, Éthiopie, Égypte, Sicile, Étrurie... En ces temps où aucune des distractions que nous connaissons n'existait, ces spectacles étaient des moments forts d'échange entre l'aède et tous ceux qui l'écoutaient. Ses chants prenaient une ampleur magnifique, emplissant les esprits de la présence merveilleuse des dieux et des hauts faits accomplis par des héros en qui chaque Grec pouvait voir un modèle, en qui certains pouvaient même reconnaître un ancêtre.

Ainsi, les aèdes chantaient la gloire et la louange des puissants à la table desquels ils festoyaient, leurs récits enflammaient les esprits, et chacun se sentait plus proche de son voisin, vibrant d'une émotion commune.

UNE MUSIQUE ET UNE POÉSIE QUI ENVOÛTENT

Les aèdes chantaient en s'accompagnant d'une cithare, sur un rythme connu de tous, celui d'un vers, l'hexamètre dactylique*, sur lequel parfois l'on dansait. Afin d'aider leur mémoire et de retenir l'attention du public, les aèdes apprenaient par cœur un grand nombre d'expressions pour décrire des personnes, des objets ou des événements semblables. Ce sont les épithètes épiques, « *la mer couleur-de-vin, le vin aux-sombres-feux…* » qui rythment la phrase. Ou encore, des vers formulaires*, qui décrivent par exemple la fin d'un repas, « *quand ils eurent apaisé leur soif et leur appétit* », ou le départ d'un navire, « *ils font blanchir l'écume de la mer sous les coups répétés de leurs rames…* ». Épithètes et vers formulaires pouvaient constituer presque un tiers du poème ! Ainsi chantaient les aèdes.

UN JOUR, IL Y EUT HOMÈRE, ET LA NAISSANCE DE LA LITTÉRATURE

Et puis un jour, il y eut un aède de génie : son texte était si beau que c'est celui-là qui fut de plus en plus chanté et mimé, recopié, enseigné, édité et parvint jusqu'à nous. Musique des vers, clarté, élégance, finesse, harmonie. Les deux épopées d'Homère sont la poésie épique. « *Venues de la poésie orale,* [elles] *s'en détachent pour ouvrir le règne de la littérature* » (J. de Romilly).

À retenir

hexamètre dactylique : vers formé d'une alternance particulière de syllabes longues ou brèves, groupées en six mesures. Les rimes ne sont pas imposées comme dans la poésie française.

vers formulaire : vers employé à plusieurs reprises dans le poème, soit inchangé, soit légèrement modifié.

Groupement de textes :
La figure du héros

Dans l'*Odyssée* et dans la plupart des épopées de l'Antiquité, les héros luttent contre les éléments de la nature, rencontrent d'horribles monstres, voient périr leurs compagnons, mais toujours ils se battent. À peine arrivé, Ulysse va repartir d'Ithaque « *avec sa bonne rame sur l'épaule, et marcher...* ». Que cherchent-ils donc ? L'inconnu, des surprises toujours renouvelées, et surtout la gloire, la gloire éclatante qui illuminera le monde des hommes, même si la mort en est le prix à payer. Dans le regard des autres, amis ou ennemis, ils peuvent lire la terreur ou l'admiration qu'ils inspirent. Là est leur plaisir.

D'autres héros, certains contemporains, se mesurent aussi à des forces qui les dépassent ; ils marchent, ils naviguent, jusqu'à la limite de leurs forces physiques et morales. Leurs épreuves sont souvent solitaires, une confrontation avec eux-mêmes. Leur aventure est aussi une aventure intérieure, l'expression de leur soif d'absolu.

L'ILIADE, D'HOMÈRE

Voilà dix ans que les Grecs font le siège de la ville de Troie. Achille, leur grand héros, qui avait renoncé au combat après s'être querellé avec Agamemnon, entre en scène. Il veut venger son ami Patrocle, tué par le Troyen Hector. Furieux, il fait un carnage dans les rangs de ses ennemis. Lorsque commence cet extrait, il a déjà tué cinq Troyens.

> [...] Achille alors va à Moulios et le frappe de sa lance à l'oreille ; la pointe de bronze ressort aussitôt par l'autre oreille. C'est ensuite Échècle, le fils d'Agénor, qu'il frappe en pleine tête, de son épée à la bonne poignée. L'épée devient toute chaude de

sang, et dans les yeux de l'homme entrent en maîtres la mort rouge et l'impérieux destin. c'est ensuite à Deucalion, là où se rejoignent les tendons du coude, qu'il transperce le bras de sa pointe de bronze ; et l'homme reste à l'attendre, le bras lourd, la mort devant les yeux : de son épée Achille lui tranche le col et jette ensemble au loin la tête avec le casque ; on voit même la moelle jaillir des vertèbres ; le corps gît[1] là, étendu sur le sol. Il part alors à la poursuite du fils sans reproche de Piréôs, Rhigme, qui est venu de la Thrace au sol fertile. Il l'atteint en plein corps de sa javeline ; le bronze va se planter dans le ventre, et l'homme croule de son char. Son écuyer[2] Aréithoos fait faire alors demi-tour à son attelage ; mais Achille le pique au dos de sa lance aiguë et le culbute de son char, tandis que ses coursiers s'affolent.

Tel un prodigieux incendie fait rage à travers les vallées profondes d'une montagne desséchée ; la forêt profonde brûle, et le vent, qui la pousse en tout sens, en fait tournoyer la flamme. Tel, en tout sens, bondit Achille, lance au poing, pareil à un dieu, se ruant sur ses victimes. La terre noire est inondée de sang. De même qu'on attelle des bœufs au large front pour fouler[3] l'orge blanche dans l'aire[4] bien construite, et que le grain bien vite se dépouille sous les pas des bœufs mugissants, de même, sous le magnanime Achille, les chevaux aux sabots massifs écrasent à la fois morts et boucliers. Et l'essieu[5] sous la caisse[6], et la rampe, autour, sont tout souillés de sang ; il jaillit en éclaboussures et sous les sabots des chevaux et sous les jantes[7] des roues. Le fils de Pélée brûle de conquérir la gloire, et une poussière sanglante souille ses mains redoutables.

Homère, *Iliade*, chant XX, vers 472 à 503,
Les Belles Lettres, trad. Paul Mazon.

---

1. gît : est étendu.

2. écuyer : personne qui s'occupe de l'attelage d'un guerrier.

3. fouler : écraser avec les pieds.

4. l'aire : surface plane où l'on bat le blé ou l'orge pour séparer les épis de leur tige.

5. l'essieu : barre à laquelle se rattachent les roues.

6. la caisse : partie extérieure du char.

7. les jantes : cercles de bois ou de métal faisant le tour des roues.

L'ÉNÉIDE, DE VIRGILE

Virgile, poète latin du Iᵉʳ siècle avant Jésus-Christ, a écrit un poème épique, l'*Énéide*, qui conte, sur le modèle de l'*Odyssée*, les aventures d'Énée, guerrier troyen et ancêtre de Romulus et de Rémus. Énée s'est enfui, avec ses compagnons, de Troie livrée aux Grecs. Ses navires errent sur la mer puis arrivent en vue des îles Strophades, où vivent les Harpyes, redoutables divinités infernales.

Sauvé des ondes, les rivages des Strophades[1] m'accueillent d'abord ; les Strophades, ainsi nommées par les Grecs, sont des îles de la grande mer Ionienne, qu'habitent la farouche Céléno[2] et les autres Harpyes[3], depuis que le palais de Phinée[4] leur a été fermé et que la crainte leur a fait quitter les tables qu'elles fréquentaient auparavant. Jamais monstre plus funeste[5], jamais plus terrible fléau[6], dû à la colère des dieux, ne s'élança des ondes du Styx[7] : ce sont des oiseaux qui ont les traits d'une jeune fille ; les déjections[8] qui coulent de leur ventre sont immondes, leurs mains crochues, et leur visage toujours pâle de faim…

Portés là par l'orage et à peine entrés dans le port, nous voyons de gras troupeaux de bœufs paissant[9] çà et là dans la plaine et des chèvres sans gardiens qui broutent parmi l'herbe. Nous nous élançons, le fer[10] à la main, et nous invitons les dieux et Jupiter lui-même à partager notre butin ; puis, dans une courbe du rivage, nous dressons des lits de gazon et mangeons ces mets

---

1. Îles Strophades : deux îles de la mer Ionienne, à l'est du Péloponnèse.

2. Céléno : une des Harpyes. Son nom signifie « L'Obscure ».

3. Harpyes : génies ailés au nombre de trois. Leur nom signifie « les Ravisseuses »,

car elles emportent les âmes des morts aux Enfers.

4. Phinée : roi de Thrace que les Harpyes persécutèrent avant d'être poursuivies jusqu'aux Strophades.

5. funeste : qui porte malheur.

6. fléau : catastrophe qui s'abat sur les hommes.

7. Styx : fleuve des Enfers.

8. déjections : excréments.

9. paissant : broutant.

10. le fer : l'épée.

délicieux. Mais soudain, en un vol effrayant, les Harpyes fondent[1] du haut des montagnes ; elles battent des ailes avec un grand bruit, enlèvent nos viandes et salissent tout de leur contact immonde ; puis, parmi une abominable odeur, ce sont des cris sinistres. Nous nous réfugions alors dans une gorge profonde, sous la voûte d'un rocher qu'enfermaient alentour des arbres et leurs ombrages touffus, et, une seconde fois, nous y dressons nos tables et replaçons le feu sur les autels. Une seconde fois, fondant sur nous d'un point opposé du ciel et de ses retraites[2] invisibles, la troupe bruyante vole avec ses pieds crochus autour de notre butin et souille les mets de son haleine. Je crie alors à mes compagnons de prendre leurs armes et de faire la guerre à cette cruelle engeance[3]. Ils font comme j'ai dit, placent à leurs côtés leurs épées recouvertes d'herbe et cachent en les dissimulant leurs boucliers. Dès que les Harpyes s'abattent en faisant retentir les sinuosités[4] du rivage, Misène[5], monté sur un haut observatoire, donne le signal avec une trompette d'airain[6] : mes compagnons s'élancent, et, dans ce combat nouveau, tentent d'atteindre de leur fer ces impurs oiseaux de la mer. Mais leurs plumes sont impénétrables, leurs flancs invulnérables ; et, d'un vol rapide, elles s'enfuient sous les constellations, nous laissant une proie à demi rongée et des traces dégoûtantes. Seule, s'arrêtant sur la pointe d'un rocher, Céléno, sinistre prophétesse, fit entendre ces paroles : « C'est donc la guerre, pour prix de nos bœufs égorgés et de nos génisses immolées[7], la guerre, Laomédontiades[8], que vous nous déclarez ! et vous vous préparez à chasser sans raison les Harpyes de l'empire paternel[9]. Écoutez donc et fixez bien ces paroles dans vos esprits. Ce que le Père tout-puissant[10] a prédit à Phébus, ce que Phébus-

---

1. fondent : s'abattent.

2. retraites : lieux où l'on se retire pour être à l'abri.

3. engeance : catégorie de personnes méprisables.

4. sinuosités : courbes.

5. Misène : fils d'Éole et trompette d'Énée.

6. airain : bronze.

7. immolées : sacrifiées.

8. Laomédontiades : descendants de Laomédon, l'un des premiers rois de Troie.

9. l'empire paternel : les Strophades, données par leur père, Jupiter.

10. le Père tout-puissant : Jupiter.

Apollon m'a prédit à moi-même, moi, l'aînée des Furies[1], je vais vous le révéler. Vous cherchez l'Italie ; grâce aux vents que vos vœux appellent, vous irez en Italie, et vous pourrez entrer dans ses ports. Mais vous ne ceindrez point[2] de murailles la ville qui vous est destinée, avant que la faim cruelle, châtiment de l'injuste massacre tenté contre nous, ne vous force à briser à coups de dent et dévorer vos tables[3]. » Elle dit, et à tire-d'aile s'enfuit dans la forêt.

Virgile, *Énéide*, livre III, Garnier-Flammarion, trad. Maurice Rat.

LE QUART-LIVRE, DE RABELAIS

Rabelais, auteur de la Renaissance, écrit en 1552 une épopée comique. Son héros, le géant Pantagruel, et ses compagnons, dont frère Jean et Panurge, naviguent d'île en île. Arrivés sur l'île Farouche, ils doivent livrer bataille aux Andouilles qui l'habitent. Frère Jean et son armée de cuisiniers se cachent dans une tour en forme de truie, dont ils sortent comme du cheval de Troie.

Adonc[4] commença le combat martial[5] pêle-mêle. Riflandouilles[6] riflait[7] Andouilles, Tailleboudin taillait boudins. Pantagruel rompait les Andouilles au genou. Frère Jean se tenait coi[8] dedans sa Truie, tout voyant et considérant, quand les Godiveaux[9], qui étaient en embuscade, sortirent tous en grand effroi[10] sur Pantagruel.

---

1. Furies : Virgile confond Harpyes et Furies qui sont toutes des divinités infernales.

2. vous ne ceindrez point : vous n'entourerez point.

3. dévorer vos tables : une fois arrivés en Italie, dans le Latium, Énée et ses compagnons vont dévorer les galettes de pain sur lesquelles ils ont disposé leurs aliments et qui leur servent de tables.

4. Adonc : alors.

5. martial : qui se rapporte à la guerre.

6. Riflandouilles et Tailleboudin : officiers de Pantagruel.

7. riflait : écorchait.

8. coi : silencieux.

9. les Godiveaux : les Pâtés de veaux et d'andouillettes.

10. effroi : tumulte.

Adonc voyant frère Jean le désarroi et tumulte ouvre les portes de sa Truie, et sort avec ses bons[1] soudards[2], les uns portant broches de fer, les autres tenant landiers[3], contre-hâtiers[4], poêles, pelles, coquasses[5], grils, fourgons[6], tenailles, lèchefrites, ramons[7], marmites, mortiers[8], pilons[9], tous en ordre comme brûleurs de maisons, hurlant et criant tous ensemble épouvantablement : *Nabuzardan*[10] ! *Nabuzardan* ! *Nabuzardan* ! En tels cris et émeute choquèrent les Godiveaux, et à travers les Saucissons. Les Andouilles soudain aperçurent ce nouveau renfort, et se mirent en fuite le grand galop, comme si elles eussent vu tous les Diables. Frère Jean à coups de bedaines[11] les abattait menu comme mouches ; ses soudards ne s'y épargnaient mie[12]. C'était pitié. Le camp était tout couvert d'Andouilles mortes ou navrées[13].

Rabelais, *Le Quart-Livre*, chapitre XLI,
« Comment Pantagruel rompit les Andouilles aux genoux ».

Homme libre toujours tu chériras la mer, d'Olivier de Kersauson

Dans ce récit de voyage, Olivier de Kersauson raconte l'aventure vécue avec ses quatre équipiers à bord du trimaran géant *Lyonnaise-des-Eaux-Dumez* lors du Trophée Jules Verne, en 1994. Dans l'extrait présenté ici, le navigateur raconte la fin de ce tour du monde, qu'il a bouclé en 77 jours, et l'arrivée dans le port d'Ouessant.

---

1. bons : braves.

2. soudards : soldats.

3. landiers : chenets avec crochets sur le côté pour les broches.

4. contre-hâtiers : grands chenets garnis de crochets.

5. coquasses : chaudrons.

6. fourgons : tisonniers pour remuer la braise.

7. ramons : balais.

8. mortiers : vases où l'on écrase diverses substances pour former une pâte.

9. pilons : instruments pour piler dans les mortiers.

10. Nabuzardan : général du roi de Babylone Nabuchodonosor (vɪe siècle av. J.-C.) qu'une tradition transformera en cuisinier.

11. bedaines : boulets.

12. mie : pas.

13. navrées : blessées.

J'ai commandé un équipage de fous furieux fabuleux. J'ai beaucoup navigué depuis vingt-cinq ans, et côtoyé bien des marins ; jamais je n'ai été ému comme je le suis aujourd'hui par la volonté, l'opiniâtreté de ces quatre hommes qui m'ont escorté dans mon odyssée. Je ne pensais pas qu'ils seraient à ce point capables de dépasser les frontières de l'abnégation[1] et de la détermination.

Le dimanche 3 avril, jour de Pâques, nous franchissons la ligne d'arrivée, à l'ouest de Ouessant, à 17 h 56 min 54 s GMT. On ne la voit pas, cette putain de ligne. D'ailleurs, on ne voit pas à quatre cents mètres. C'est le chronométreur officiel, installé dans le phare de Ouessant, qui, en VHF, nous dit : « Vous êtes arrivés. C'est fini. Vous avez bouclé la boucle en soixante-dix-sept jours cinq heures trois minutes sept secondes. Félicitations. » [...]

Au loin, à peine visibles sur tribord les lumières de Camaret percent la brume. On s'engage dans le goulet de Brest.

– Regarde, Olivier ! me dit Ragot.

Derrière nous, des feux de bateaux, innombrables, nous suivent [...]. Malgré le mauvais temps et la mauvaise mer, ils sont venus nous accueillir.

– Regarde, Olivier ! me dit Tony, en m'indiquant la côte que le crépuscule envahit.

Malgré le vent, fort et froid pour la saison, et le crachin persistant qui fait le charme mélancolique de ce pays que j'aime, on voit des milliers de personnes alignées sur les falaises et le long de la route côtière, qui nous regardent passer.

Le spectacle donné par *Lyonnaise-des-Eaux-Dumez*, avec sa voilure éclairée par le projecteur placé en tête de mât, a une dimension mythique. Quand un voilier rentre au port, c'est un moment grave et intense. Depuis des temps immémoriaux[2], un bateau qui revient sous voile offre une vision majestueuse et symbolique. Ce sont les voiliers qui ont découvert le monde, et ils charrient dans leur sillage bien des légendes.

---

1. abnégation : dévouement.

2. depuis des temps immémoriaux : depuis toujours.

Derrière nous, la flottille des suiveurs s'agrandit. Mes équipiers sont étonnés et émus. Bien sûr, nous revenons du tour du monde. Mais nous nous attendions à trouver sur notre ponton[1] des parents et quelques amis, et non pas des milliers d'inconnus venus nous ovationner.

[...] ma satisfaction réelle est de ramener mes matelots et mon navire à bon port. Bientôt je vais débarquer, et ça m'oppresse. La vie à terre ne m'apporte guère d'émotions. Sur le sol ferme, je ne m'amuse pas. Les vanités qui aiguillonnent l'humanité m'indiffèrent.

En mer, mon existence devient passionnante. Quand j'ai battu le record du tour du monde en solitaire, en cent vingt-cinq jours, même si certains moments ont été durs, même si j'ai cru, parfois, faire mon trou dans l'eau, je me suis senti un privilégié. J'échappe aux contraintes citadines. Au large, je n'ai rendez-vous qu'avec moi-même. Je déjeune avec moi. Je ne m'ennuie jamais. Je me trouve de bonne compagnie.

À mesure que *Lyonnaise-des-Eaux-Dumez* approche de la marina, la foule sur la berge et les quais du port de commerce grossit et nous applaudit. Les cornes de brume des bateaux qui nous suivent entrent en action et font un joyeux boucan[2].

[...] Ce qui me touche, en défilant devant eux à la barre du bateau, c'est qu'avec mes équipiers nous les avons fait rêver. Nous avons accompli, avec notre périple, ce que tous ces gens, aujourd'hui, auraient aimé faire : naviguer sur les sept mers du monde, affronter les éléments, les surmonter. Les voiliers ont toujours exercé une véritable fascination sur les humains. Je ne connais pas une marina où je n'aie vu d'enfants, les yeux agrandis par l'envie, rêvant devant les bateaux.

Nous avons fait le tour du monde pour les rêveurs. Et moi, qui viens de terminer mon rêve, j'ai envie de rêver encore. Je suis content d'être de retour, mais triste d'arrêter de naviguer.

Olivier de Kersauson et Jean Noli,
Homme libre toujours tu chériras la mer, Fixot, 1994.

---

1. ponton : construction flottante reliée à la terre, permettant d'accoster.

2. boucan : vacarme assourdissant.

Glossaire des noms propres

Achéens : Grecs à l'époque homérique.

Achille : fils de Thétis et de Pélée, roi des Myrmidons. Ami de Patrocle. Son corps était invulnérable sauf au talon. C'est lui qui tua Hector et donna ainsi la victoire aux Achéens sur les Troyens, lors de la guerre de Troie. Il fut tué par Pâris qui le blessa au talon.

Agamemnon : Atride, du nom d'Atrée, son père. Roi d'Argos et de Mycènes. Sa femme Clytemnestre, sœur d'Hélène, lui donna cinq enfants dont les plus connus sont Iphigénie, Électre et Oreste. À son retour de Troie, il fut assassiné par son cousin, Égisthe, et par sa femme, Clytemnestre.

Aiaié : d'après Bérard, île dans la baie de Naples.

Aiétès : frère de Circé, fixé en Colchide sur les bords de la mer Noire. Gardien de la Toison d'or jusqu'à ce que Jason s'en empare et enlève sa fille Médée, redoutable magicienne comme sa tante, Circé.

Ajax ou le « **Grand Ajax** » : héros grec de la guerre de Troie. Fils de Télamon. Il possède un bouclier impressionnant. À la mort d'Achille, les armes de ce héros sont données à Ulysse. Ajax, qui les convoitait, se suicide.

Ajax, fils d'Oïlée : archer combattant à la guerre de Troie aux côtés du Grand Ajax. Il se noya pendant son retour de Troie.

Alkinoos : roi de l'île de Phéacie. Il passe pour être le petit-fils de Poséidon. Il a cinq fils et une fille, Nausikaa.

Amphitrite : Néréide (fille de Nérée, dieu marin). Épouse de Poséidon.

Aphrodite : déesse de l'Amour, née de l'écume de la mer. Elle est la femme du dieu boiteux, Héphaïstos.

Arès : fils de Zeus et d'Héra, c'est le dieu de la guerre et de la mort violente. C'est la force brute, à l'opposé d'Athéna, déesse de la raison.

Argiens : Grecs. Les Argiens étaient les habitants de l'Argolide.

Argos : ville importante du Péloponnèse.

Artémis : fille de Zeus et de Léto, sœur d'Apollon. Munie d'un arc et de flèches, elle aime chasser dans les lieux sauvages.

Athéna ou **Pallas Athéna :** déesse qui sortit tout armée du crâne de Zeus qui avait avalé sa mère, Métis. Elle est la déesse de la guerre. Elle est aussi la protectrice des arts et des techniques. Elle protège Ulysse. Ses attributs sont la chouette et l'olivier.

Atlas : géant, divinité plus ancienne que les dieux de l'Olympe. Après sa défaite dans le combat des géants contre Zeus, il fut condamné par ce dernier à porter la voûte du ciel sur ses épaules.

Atrée : fils de Pélops, roi d'Argos. Trahi par son frère Thyeste, il se vengea en lui donnant à manger ses propres enfants. Il fut assassiné par Égisthe, autre fils de Thyeste.

Atrides : fils d'Atrée. Agamemnon et Ménélas sont les fils d'Atrée.

Aurore : fille de Théia et d'Hypérion. Elle est sœur d'Hélios, le Soleil, et de Séléné, la Lune. Déesse aux doigts de rose, chargée d'ouvrir, au char du Soleil, les portes du Ciel.

Borée : vent du nord.

Cadmos : fondateur de Thèbes. Marié à la déesse Harmonie.

Calypso : nymphe inventée par Homère. Fille du géant Atlas. Son nom signifie : celle qui cache.

Charybde : monstre, fille de la Terre et de Poséidon. Trois fois par jour, elle avale l'eau de mer et son contenu (navires, poissons) et les dégurgite ensuite. Charybde loge dans un écueil surmonté d'un figuier et situé sur un côté d'un détroit.

Circé : fille d'Hélios et de Persé. Sœur d'Aiétès, roi de Colchide. C'est une des plus grandes magiciennes de l'Antiquité qui excelle dans l'art des empoisonnements et des transformations de ses victimes. De sa baguette magique, elle transforme les hommes en animaux. Elle habite l'île d'Aiaié. Elle eut deux fils d'Ulysse. L'un d'eux, Télégone, tuera son père, et épousera Pénélope.

Cronos : dernier né des douze Titans, fils de Gaia, la Terre, et d'Ouranos, le Ciel. Il est l'époux de Rhéa. Craignant qu'un de ses enfants ne prenne un jour le pouvoir, il les avalait dès leur naissance. Il est parfois rapproché du dieu phénicien Baal.

Cyclope : le mot signifie « œil rond ». Dans l'*Odyssée*, les Cyclopes sont des géants, êtres sauvages à l'œil unique, habitant dans des grottes sur la côte italienne. Ils s'adonnent à l'élevage. Ils ne respectent pas l'hospitalité et mettent parfois des hommes à leur menu. L'un d'eux, Polyphème, est fils de Poséidon.

Danaens : Grecs. Les Danaens étaient les descendants de Danaos, fondateur d'Argos.

Égide : vient d'un mot grec qui signifie « la chèvre ». Dans la mythologie, il s'agit le plus souvent de la peau de la chèvre Amalthée. C'est elle qui avait nourri Zeus, enfant. Sa peau était invulnérable : aucune flèche ne pouvait la transpercer. C'est pourquoi, lors de sa lutte avec les Titans, Zeus s'en était recouvert comme d'une cuirasse. La déesse Athéna peut aussi s'en protéger. Lorsque Persée tue Méduse et offre sa tête, qui pétrifie ses ennemis, à Athéna, celle-ci la place au centre de cette cuirasse.

Égisthe : fils de Thyeste. En l'absence d'Agamemnon, parti à la guerre de Troie, il s'éprit de Clytemnestre. Tous deux assassinèrent Agamemnon le jour même de son retour.

Érinyes : filles d'Ouranos. On les représente ailées, la chevelure mêlée de serpents, brandissant un fouet. Elles poursuivent dans la nuit ceux qui ont commis des crimes.

Éthiopiens : peuple qu'Homère appelle « visages brûlés ». Ce sont les habitants de la Nubie. L'historien grec Hérodote rapporte une tradition égyptienne, selon laquelle des viandes étaient exposées la nuit en un lieu appelé Table du Soleil, viandes qui étaient mangées le jour.

Euros : vent d'est.

Gorgone : femme monstrueuse, connue aussi sous le nom de Méduse. Sa tête, entourée de serpents, pétrifiait ceux qui la regardaient. Le héros Persée la lui trancha. Athéna plaça cette tête sur sa cuirasse, l'égide.

Hadès : frère de Zeus et de Poséidon. Il règne sur les Enfers en compagnie de Perséphone. Son attribut est le cyprès dont le feuillage sombre, dans les cimetières, est en harmonie avec la mélancolie des lieux.

Hélène : fille de Zeus et de Léda. Sœur de Clytemnestre. Épouse de Ménélas. Elle fut enlevée par le Troyen Pâris, grâce à Aphrodite qu'il avait désignée comme la plus belle des déesses. Ceci provoqua la guerre de Troie. Elle a une fille : Hermione.

Hélios : le Soleil. Le matin, sur son char de cristal, de diamants et de métaux précieux dont nul mortel ne peut soutenir l'éclat, il s'élance dans le ciel, et le soir descend au fond des mers pour se reposer.

Héphaïstos : fils de Zeus et d'Héra. Il a pour épouse Aphrodite. C'est le dieu du feu et des forgerons. Les poètes ont situé sa demeure dans une île volcanique, Volcano.

Héraklès : grand héros grec, fils de Zeus et d'Alcmène. D'une force exceptionnelle, il accomplit douze travaux imposés par Eurysthée pendant lesquels il triompha de divers monstres comme Cerbère, le chien à trois têtes des Enfers. Après sa mort, aux Enfers, il épousa Hébé, « la Jeunesse », fille de Zeus et d'Héra.

Hermès : fils de Zeus et de la nymphe Maia, c'est le messager des dieux. On le représente coiffé d'un chapeau à larges bords (le pétase) et chaussé de sandales ailées. L'un de ses attributs est une houlette d'or autour de laquelle s'enlacèrent un jour, pour faire la paix, deux serpents qui se battaient. Cette scène reproduite est à l'origine du caducée, symbole de la paix.

Ilion : voir Troie.

Inô ou **Leucothée :** fille de Cadmos et d'Harmonie. Frappée de folie par la déesse

Héra, elle se précipita dans la mer avec un de ses enfants. Les Néréides l'accueillirent et la sauvèrent. Elle devint, sous le nom de Leucothée, la Blanche, une divinité bienfaisante de la mer.

Ithaque : petite île de la mer ionienne dont Ulysse est le roi.

Lacédémone : autre nom de la ville de Sparte.

Laërte : mari d'Anticlée et père d'Ulysse.

Ménélas : Atride, du nom d'Atrée, son père. Roi de Sparte, frère d'Agamemnon et mari d'Hélène.

Minos : roi de Crète, fils d'Europe et de Zeus. Il gardait dans un labyrinthe un monstre, mi-homme, mi-taureau : le minotaure. Après sa mort, aux Enfers, il juge les âmes des défunts.

Muse(s) : neuf déesses, filles de Mnémosyné (Mémoire) et de Zeus. Elles forment un chœur qui charme les dieux de leurs chants. Elles inspirent les artistes.

Nestor : roi de Pylos, héros de la guerre de Troie. Au moment du voyage de Télémaque, c'est un vieillard d'une grande sagesse.

Notos : vent du sud.

Océanide : fille d'Océan.

Ogygie : île de Calypso où est retenu Ulysse. V. Bérard la situe sur la côte marocaine. D'autres l'ont imaginée à Malte, à Gibraltar ou à Madère. Sans doute est-elle une invention du poète.

Olympe : belle chaîne de montagnes de la Grèce. Ses sommets majestueux et imposants, les plus hauts de la Grèce, en ont tôt fait la demeure des dieux.

Ouranos : le Ciel, fils ou frère de Gaia, la Terre, elle-même enfant de la nuit. Ouranos a pour frère Pontos, la Mer.

Pallas Athéna : voir Athéna.

Persé, nymphe Océanide : fille de la nymphe Téthys et de l'Océan. Elle est l'épouse du Soleil.

Perséphone : fille de Zeus et de Déméter. Enlevée par Hadès, elle passe six mois aux Enfers et la nature pleure son absence ; elle passe six mois sur la Terre et c'est la joie du printemps et de l'été.

Phéacie : île que les Anciens identifiaient à l'île de Corcyre (aujourd'hui Corfou). La Phéacie est en fait une île imaginaire hors du monde terrestre.

Polyphème : géant à l'œil unique au milieu du front ; il vit sur une île, dans une caverne, se nourrissant des laitages de ses troupeaux. Il est le fils de Poséidon.

Poséidon : fils aîné de Cronos et de Rhéa. Au partage de l'héritage de Cronos, Zeus s'attribua la toute-puissance et le ciel, Hadès eut le monde souterrain et Poséidon l'empire des eaux. Il poursuit Ulysse de sa haine depuis que ce dernier a crevé l'œil de son fils, le cyclope Polyphème. Il peut déchaîner des tempêtes. Son attribut est le trident avec lequel il peut ébranler le sol.

Pramnos : rocher de l'île d'Icare près duquel on récoltait un vin excellent.

Priam : roi de Troie. Père d'Hector et de Pâris. Il fut tué dans son palais par Pyrrhus lors de la guerre de Troie.

Protée : dieu marin, fils de l'Océan et de Thétis. Il connaît le présent, le passé et l'avenir, mais se dérobe aux questions en prenant les formes les plus diverses. Son nom a donné l'adjectif *protéiforme*.

Pylos-des-Sables : ville importante du Péloponnèse dont le roi est Nestor. Carte p. 145.

Scylla : monstre féminin, fille de Crataeis et d'un dieu marin. Elle a douze pieds atrophiés, six cous surmontés de six têtes à trois rangées de dents. Elle loge dans une caverne, à mi-hauteur d'un écueil élevé dominant la passe où séjourne aussi Charybde.

Sirènes : deux démons féminins nommés pour la première fois dans l'*Odyssée*. Filles du dieu fleuve Achéloos et d'une Muse. Elles sont caractérisées par leur chant irrésistible qui attire les marins et provoque leur mort. Le rivage de leur île est jonché d'ossements de ces malheureux.

Sisyphe : fils d'Éole. Pour avoir dénoncé Zeus qui avait enlevé une jeune fille à son père, il fut précipité dans les Enfers et condamné à

Soleil : encore appelé Hélios. C'est une divinité plus ancienne que les dieux de l'Olympe. Il est fils du Titan Hypérion. Il parcourt le ciel tous les jours sur son char. Il possède, dans une île, des bœufs d'un blanc de neige aux cornes dorées. Il est le père de Circé.

Solyme : montagne d'Asie Mineure.

Sparte : ville importante du Péloponnèse dont le roi est Ménélas. Voir carte p. 145.

Tantale : roi de Phrygie. Il fut précipité par Zeus aux Enfers pour avoir dérobé nectar et ambroisie à la table des dieux où il était accueilli. Son supplice est de ne jamais pouvoir satisfaire sa faim et sa soif devant de l'eau et des fruits qui s'éloignent quand il tend la main.

Taphiens : habitants de l'île de Taphos, proche d'Ithaque.

Tirésias : Héra le rendit aveugle parce qu'il avait donné raison à Zeus dans un différend qui l'opposait à la déesse. Mais en compensation, elle lui donna le pouvoir de connaître l'avenir, de vivre sept générations et de faire encore des prédictions aux Enfers.

Au début du premier paragraphe : rouler le long d'une pente un rocher qui toujours retombe.

Troie ou **Ilion :** ville où Pâris, fils de Priam, emmena Hélène après l'avoir enlevée, et qui fut le théâtre d'une guerre épique qui dura dix ans. Le chercheur Schliemann a pensé en avoir retrouvé les restes à Issarlik en Turquie.

Ulysse : héros de la guerre de Troie, fils de Laërte, roi d'Ithaque, époux de Pénélope et père de Télémaque. Son nom, en grec, Odysseus, lui fut donné par son grand-père maternel, Autolycos. Chant XIX, v. 406.

Zéphyr : vent d'ouest.

Zeus : fils de Cronos et de Rhéa qui le sauva de l'appétit glouton de son père en lui donnant à dévorer à sa place une pierre emmaillotée dans des langes. Il fut élevé sur le mont Ida en Crète, par les nymphes, filles de Mélisseus, nourri du lait de la chèvre Amalthée et du miel que lui versaient les nymphes. Un aigle venait lui apporter l'ambroisie et le nectar, nourriture des dieux. Il règne sur le mont Olympe depuis qu'il a détrôné son père. Dieu des vents, des nuages, de la pluie, des éclairs, dieu de la lumière, il sait tout, il voit tout, passé, présent, avenir. Il est juste et bon. C'est le dieu des dieux.

Carte p. 145 : cartographie Hachette Éducation et Line Retot-Leroy.

Crédits photographiques

p. 3 : photothèque Hachette Livre. **pp. 6, 12, 18, 24, 30, 42, 47, 48, 54, 67, 75, 81, 88, 93, 95, 97, 100, 107, 108, 111, 112, 120, 126, 130 :** Ulysse et les Sirènes, mosaïque de Douga. Tunis, Musée National du Bardo, photo Josse. **p. 17 :** photo J.-L. Charmet. **p. 27 :** photo Hachette Livre. **p. 33 :** photo R. Percheron, Artephot. **pp. 40, 72, 117 :** photo Ecla Théâtre. **p. 53 :** photothèque Hachette Livre. **p. 64 :** Louvre, photo RMN-Chuzeville. **p. 80 :** Bibl. des Arts décoratifs, photo J.-L. Charmet. **p. 99 :** photo Hachette Livre. **p. 107 :** reconnaissance d'Ulysse par Euryclée, vase grec, photo Bruckmann, photothèque Hachette Livre. **p. 123 :** photo Bruckmann, photothèque Hachette Livre. **p. 137 :** photo Hachette Livre. **p. 139 :** photo RMN-Chuzeville.

Bibliographie et filmographie

Une autre œuvre d'Homère

L'*Iliade*, Hachette-Jeunesse, 1996

Pour en savoir plus sur l'Odyssée

Frontier A., *Le Cheval de Troie ou le grec dans nos murs*, Belin, 1972.

Grimal Pierre, *Le Merveilleux Voyage d'Ulysse*, éd. du Rocher.

Grimal Pierre, *Dictionnaire de la mythologie grecque*, PUF.

Grimaud Renée, *Les Colonnes d'Hercule*, *Atlas de la mythologie grecque*, Hatier.

Martin Jean, adapt. *Contes et légendes : l'Iliade*, Nathan, 1998.

Martin Jean, adapt. *Contes et légendes de l'Odyssée*, Nathan, 1994.

Sous la direction d' Anne-Catherine Vivet-Rémy, *Agamemnon, la guerre de Troie*, Retz, coll. « Vers le collège », 1998.

Les Voyages d'Ulysse, Retz.

Filmographie

Ulysse, Mario Camerini, 1953.

Théâtre

L'Odyssée ou la merveilleuse aventure d'Ulysse, adaptation théâtrale de Christian Grau-Stef. Ecla Théâtre, 1998.

Achevé d'imprimer en Italie par Rotolito Lombarda
Dépôt légal : Fevrier 2011 - Edition 14 - Collection n°63
16/7828/3